Née en 1927 à Paris, Claude Sarraute gagne d'abord sa vie en tant que comédienne après avoir suivi des études de lettres, d'anglais et de droit. Devenue journaliste, elle a longtemps collaboré au journal *Le Monde* où elle a successivement signé des critiques de théâtre, de variété ou de télévision, et enfin un billet d'humour quotidien. Souvent sollicitée par la radio, doyenne des chroniqueuses de l'émission de Laurent Ruquier, « On a tout essayé », elle est également l'auteur de romans à succès, parmi lesquels *Allô Lolotte, c'est Coco* (1987), *Mademoiselle, s'il vous plaît* (1991), *C'est pas bientôt fini !* (1998), *Dis, est-ce que tu m'aimes ?* (2000) où son humour le dispute à son sens de l'observation de nos mœurs pour le plus grand bonheur de ses lecteurs.

DIS VOIR, MAMINETTE

CLAUDE SARRAUTE

DIS VOIR, MAMINETTE

PLON

© Plon, 2003
ISBN : 2-266-13828-6

— Arrête avec ça, écoute, Maminette, ça devient vraiment chiant.

— Et toi, arrête de m'appeler Maminette ! C'est énervant à la fin ! J'ai un nom et un prénom : Claude. Maminette, ça rime à quoi ?

— A Mamie. En plus tendre. C'est plutôt gentil, non ? Mais tu es d'un susceptible ces derniers temps ! On ne peut plus dire un mot sans que tu montes sur tes grands chevaux. Non, c'est vrai, je te parle d'une vieille cliente, je te dis qu'elle a un oignon gros comme un ballon de rugby au pied droit, la pauvre petite mamie, et ça suffit pour te foutre en rogne.

— Parfaitement. Pourquoi tout de suite « la petite mamie » ou « le petit papy » ? C'est pas acceptable, cette façon apitoyée, condescendante, que vous avez, vous, les jeunes, de désigner les personnes âgées, de les réduire au seul rôle de grands-parents. Moi, ça me tue.

— Allons donc !

— Si, je t'assure ! J'ai été journaliste au *Monde* pendant quarante ans. Avec le titre d'éditorialiste au temps de ma chronique à la dernière page. J'écris des romans, des petits romans d'accord, mais bon, ils se vendent plutôt bien. Je fais un peu de radio et de télé. Et je n'existe plus qu'en fonction de mon âge et de ma situation de famille. Est-ce qu'elle en a, seulement, des petits-enfants, cette dame ?

— J'en sais rien, moi. J'ai dit ça comme ça. Sans penser à mal. Tu ne vas pas en faire toute une histoire ! Et pourquoi « vous, les jeunes » ? Je ne le suis plus tellement, jeune, moi, je te signale, je vais sur mes quarante-cinq ans.

— C'est jeune, ça, voyons, Annie !

— Par rapport à qui ? A toi, oui, peut-être, mais tu sais ce qu'elle m'a sorti l'autre jour, Lola, du haut de ses quinze ans, quand je lui ai dit, je ne sais plus à propos de quoi, « Tu verras quand tu auras mon âge » ? Elle m'a répondu en mettant deux doigts dans sa bouche en guise de revolver : « Ton âge ? Alors, ça, jamais ! »

— Bravo ! Je l'adore, moi, ta fille. Elle me venge de tout ce que vous me faites subir.

— Qui ça, vous ? Tu ne vas pas remettre ça, enfin, Maminette ! Il y en a marre à la fin... Bon, allez, on oublie parce que là, aujourd'hui, comme t'es partie...

Elle a raison, Annie, je suis partie pour pousser un grand coup de gueule contre l'âgisme ambiant, j'allais écrire rampant, mais pas du tout, il pétille au contraire, il s'exprime à chaque instant. Non, c'est vrai, ras le bol du racisme anti-vieux. Le seul à être parfaitement toléré sous la dictature implacable et vigilante du politiquement correct. Comme personne n'ose se foutre de la tronche des Noirs – en France, on pousse la pudeur et l'hypocrisie jusqu'à les appeler des Blacks, l'anglais, ça lave plus blanc ! –, des Arabes, des beurs, des homos, des femmes – merci, les chiennes de garde ! – et des handicapés, qu'est-ce qui reste ? Moi. Nous, les vieux. Là, on peut y aller et on y va, croyez-moi, on s'en donne à cœur joie. Sans même s'en rendre compte parfois.

C'est quand même insensé, avouez. Si l'enfant, que dis-je, le têtard barbotant dans son liquide amniotique est une personne à part entière à qui on doit s'adresser en termes choisis, châtiés, comme à un adulte, le senior n'en est plus une, de personne. Avec lui, faut

pas se gêner, on peut parler bébé. Particulièrement en milieu hospitalier, pas vrai, Annie ?
Exemple vécu du temps que mon père y
séjournait, il n'avait pas soixante-quinze ans
à l'époque, un honnête homme comme on
disait au XVIIIᵉ siècle, d'une culture, d'une
curiosité, d'une intelligence exceptionnelles :
« Alors, qu'est-ce qu'il dit, le papy, ce
matin ? Il a bien dormi ? Il va aller au fauteuil
pendant qu'on retape son lit, nous deux
Solange, hein ? » Ou encore : « Eh ben, on
n'a pas touché à sa blanquette de veau ? —
Non, veuillez m'excuser, je n'ai pas très faim.
– Allons, allons, pas de caprices ! Faut manger, papy. »

— T'as pas bientôt fini, dis voir, Maminette ? Non, parce que au lieu de m'accuser
à tort et à travers, faudrait peut-être songer à
m'introduire dans ce roman à la noix. Roman
ou pamphlet d'ailleurs ?

— Roman, roman, rassure-toi ! Mais, bon,
c'est un sujet qui me tient à cœur. Non, c'est
vrai, j'en ai gros sur la patate. Alors, si tu
permets, je vide mon sac, il n'y en a pas pour
longtemps. Après quoi, je te présente aux lecteurs. Tiens, je vais te poser une devinette.
Elle a des sous, elle n'a pas de dettes, elle est
à mettre dans la même assiette que 72 pour
cent des petits vernis assujettis à l'impôt sur
les grandes fortunes. Les trois quarts des por-
tefeuilles boursiers, c'est elle qui les détient.

Sans parler de 60 pour cent du patrimoine français. Et elle regarde la télé à longueur de journée. Qui c'est ?

— Ben, la fameuse ménagère qui fait valser les animateurs « au rythme impitoyable de l'audimat » ?

— Tu n'y es pas, mais alors, pas du tout. Celle dont je te parle a plus de quarante-neuf ans, la malheureuse, et, dans ce pays, à partir de cinquante balais vous n'intéressez plus personne. Un pays toujours à la traîne des Etats-Unis où le juteux marché des aînés fait saliver depuis belle lurette – « *grey is gold* » – les jeunes loups du marketing.

— Combien ils sont, chez nous, les seniors, t'as une idée ?

— Entre dix-sept et dix-huit millions. Alors faudrait peut-être penser à rajuster le tir des plans médias exclusivement destinés à des minettes et à des mères de famille couvertes de traites et pas particulièrement fidèles aux marques.

— Ça va venir, t'inquiète !

— C'est pas demain la veille, crois-moi. Pas facile de l'atteindre, cette énorme cible bientôt grossie par les enfants hyper gâtés du baby-boom qui arrivent à l'âge de la retraite. Tu me diras : « Bien sûr que si, pattes d'oie, rides et cheveux gris, elle ne passe pas inaperçue. »

— Ben, oui, où est le problème ?

— C'est un problème d'image. La peur, le

dégoût qu'inspire la vieillesse sont tels qu'elle rebute même les vieux. T'as qu'à voir ce qu'on met, études de marketing à l'appui, en couverture de *Notre Temps* ou de *Pleine Vie*, des mensuels destinés aux retraités. Une jolie nana, la petite quarantaine, un teint de porcelaine.

— Remarque, à la télé, c'est pareil. Elles n'ont pas une ride, les filles qui s'enduisent de crème anti-âge.

— Attends ! Moi, quand j'allume mon poste et que j'ai le nez chatouillé par l'opulente et soyeuse crinière d'un ravissant top model, une adolescente chargée de me vendre un shampoing colorant – « Regarde, avec ça, plus un cheveu blanc ! » –, c'est la main qui me démange. Mais, bon, je dois bien être la seule ! Le racisme anti-vieux, rien de mieux partagé. Y compris par ses victimes !

— Bon, alors, s'il n'y a rien à faire, on pourrait peut-être parler d'autre chose.

— De toi, tu veux dire ?

— Ben, oui, il serait temps, non ? Rassure-toi, je ne lirai pas par-dessus ton épaule. Tu peux bien écrire ce que tu veux... à condition que ce soit gentil, admiratif et affectueux.

Bon, ben, allons-y. C'est une fille adorable, Annie, Annette, Anouchka, ma Nouch à moi. Généreuse, ouverte, très nature, un rayon de soleil, avec ses zones d'ombre certes (sa gamine, son mec, ses fins de mois). Jolie avec ça. Une brune au teint mat. Un peu boulotte. Pas assez coquette à mon goût, au lieu de relever ses cheveux en chignon, ce qui lui va divinement, elle les laisse pendouiller n'importe comment, et elle préfère les jeans délavés sous un grand pull noir à la jupe ou au pantalon sur un T-shirt ou un chemisier qui la mettrait en valeur. Son métier ? Pédicure à Lariboisière. Ses visites à domicile, elle les réserve à quelques clientes privilégiées. Assise sur une chaise, jambe étendue, pied posé sur ses genoux (moi), assise sur un tabouret, tête penchée sur mon œil-de-perdrix (elle), on a fini par tisser, au fil des semaines, des années, des liens très résistants, très étroits, très confiants de tendresse-amitié.

Liens prolongés, renforcés par des petites bouffes chez elle ou chez moi et par des sorties entre filles. Avec Tess, sa meilleure amie. Elles sont inséparables, ces deux-là. Pourtant, c'est le jour et la nuit. Elles n'ont pas un trait commun. Tess, je vous la présenterai plus tard. Nouch, Tess et sa jeune sœur, Carole. Je les considère comme mes filles. Mes filles d'adoption. Les filles que j'aurais choisies.

Ce soir-là, quand elle est arrivée pour dîner au Procope, j'ai vu tout de suite que ça n'allait pas. Elle avait l'air catastrophé, Anouchka.

— T'en fais une tête ! Qu'est-ce qui se passe ?

— Tu sais, mes quinze jours de retard, eh ben, c'est pas une grossesse, c'est la ménopause. Le tout début, mais quand même... J'ai vu ma gynéco et... Tu te rends compte un peu ?

— Attends ! Ce bébé, tu ne le voulais pas sérieusement, dis ?

— Non... Enfin si... Depuis que ma nièce a eu le sien, que je l'ai tenu dans mes bras, que je lui ai mis le bout du doigt dans la bouche pour le faire patienter, c'était pas encore l'heure de sa tétée, et qu'il l'a sucé avec une de ces avidités... Incroyable ! Ça m'a rappelé Lola... J'ai eu une énorme bouffée de nostalgie. Eh oui, j'en avais terriblement envie.

— Remarque, je te comprends. Avoir un enfant sur le tard, c'est assez génial. J'avais quarante ans, moi, à la naissance de mon dernier. Ça te donne un sacré coup de jeune, c'est vrai. Pendant que tes copines en sont déjà à calculer les coefficients des résultats au bac, toi tu hésites encore entre les trois vitesses de tes tétines. Dommage ! T'aurais dû y penser plus tôt.

— Ça fait un bon moment que j'y pense, figure-toi. Depuis que je suis avec Max, en fait. Sans être vraiment pour, il n'était pas contre. On avait décidé de s'en remettre à la nature. Et elle nous a pris en traître, la salope !

— Toi, pas lui. Lui, question lardons, il est bonnard jusqu'à quatre-vingt-dix-sept ans. Et personne n'y trouve à redire. On les admire, on les applaudit, au contraire, les Bazin, les Montand, les Verneuil et autres Jacques Martin, ces vieux mâles encore couillus capables d'engrosser leurs jeunes compagnes. Ça leur vaut, sourire fat et regard béat, leur chiard dans les bras, la couverture de *Télé 7 Jours* et de *Paris-Match*. Mais qu'une femme ait le culot de vouloir en faire autant, et c'est le tollé.

— A qui tu penses, là, à cette instit à la retraite qui s'est offert un gosse et même deux à soixante balais ? Moi aussi, je trouve ça choquant. Déjà qu'elle plissait de partout, t'imagine un peu, d'ici sept, huit ans, la honte pour ces gamins quand ils verront leur vieille peau de maman les attendre à la sortie de l'école !

— Et si c'était leur vieux bouc de papa, ça leur ferait rien ? Non, mais tu te rends compte de ce que tu dis ? Ils sont sexistes, sexistes-âgistes, dès le CP, nos chers petits, c'est ça ?

Elle n'a pas tort, notez, Annette. Je suis payée pour le savoir. Il n'avait pas huit ans qu'il me demandait, l'œil en dessous, de ne plus l'accompagner à la communale, mon Nicolas : « Pas la peine, je t'assure, je suis parfaitement cap d'y aller tout seul. » Et comme je m'en étonnais auprès de ses grands frères : « Qu'est-ce qu'il lui prend ? A son âge, vous trouviez tout à fait normal que je... – Oui, mais lui, là, maintenant, ça le gêne par rapport à ses copains, tu comprends ? »

J'ai mis le temps, mais j'ai fini par comprendre, oui. J'ai agi en conséquence. Et je me suis fait ravaler la façade. Enfin, pas tout, les paupières et le cou. Il n'y a pas un mec à qui ça pouvait faire plus plaisir. Il était aux anges, mon petit bonhomme : « Tu peux venir me chercher à l'école, même demain, si tu veux, maman. » Tu parles si je voulais ! Plutôt deux fois qu'une !

Oui, je sais, au lieu de courir, ventre à terre, au-devant du bistouri, j'aurais dû profiter de l'occasion pour l'éduquer, mon âgiste en culottes courtes, pour lui expliquer que la vieillesse, c'est beau, qu'on a les rides que l'on mérite et tout le topo. Ouais, mais bon, ç'aurait été pisser dans un violon. Je suis passée par là, moi aussi. En sens inverse. Jamais je n'oublierai ma fierté émerveillée quand il m'arrivait de sortir avec ma propre mère. Elle était ravissante, Nathalie, avant-guerre, faite au moule des mannequins de l'époque. Coquette avec ça, ravie de se voir offrir des modèles haute couture au lendemain des défilés. C'est de loin le plus marquant, le plus valorisant de mes souvenirs d'enfance.

Pas une raison, bien sûr, pour ne pas encourager la préretraitée ou la ménagère de plus de cinquante ans à réveiller l'intérêt des annonceurs en profitant des progrès accélérés, irrépressibles de la recherche pour se remettre à pouponner. Ce sera pratique courante dans relativement peu de temps, vous verrez. Pareil que le clonage reproductif. Suffit d'attendre que cèdent, sous la poussée des expériences réussies, les barrières érigées par nos sourcilleux gardiens de la morale... Pardon, de l'éthique, ça fait moins vieux jeu.

Il serait peut-être temps de vous présenter Tess... Comment vous la décrire ? Elle est mince – elle y veille : pas de sucre, pas de graisse, jogging et gymnastique en salle trois fois par semaine –, élancée, assez grande, encore qu'un peu courte sur pattes, mais, avec des baskets à plate-forme ou des talons aiguilles, ça passe, ça passe même très bien. Blonde, cheveux mi-longs et grosse frange encadrant un joli visage en triangle, et des yeux toujours en alerte. A l'affût de son reflet dans le regard des autres.

Plaire, c'est son truc, sa drogue. De préférence aux hommes bien sûr. Mais pas seulement. Elle aime trop séduire pour se contenter de les conquérir et de les réduire à sa merci. Son emprise, elle l'exerce, comme ça, en passant, pour vérifier son pouvoir sur tout ce qui bouge, femmes, enfants, animaux d'appartement. Seulement voilà, à peine a-t-on eu le temps de tomber sous son charme qu'elle a déjà tourné le dos, attirée par d'autres proies.

Ce qui ne l'empêche pas d'être terriblement exclusive, d'une jalousie impérieuse, sourcilleuse s'agissant de ses amants. Et d'un sentiment d'envie exprimé avec la franchise brutale, désinvolte, d'une gamine dès qu'elle soupçonne une autre femme de vouloir, même pas, de pouvoir lui voler la vedette.

Bosseuse, avec ça. Le type même de la *working girl* passée *executive woman* dans une grosse agence de publicité. Une célibattante affirmée, assumée. Elle carbure à l'ambition et se shoote à l'amour branché sexe. Dès que son appétit s'émousse, qu'il est temps de quitter la table, elle remet le couvert après y avoir convié un nouveau partenaire. Sans pour autant larguer l'ancien. Deux, voire trois, tiens valent mieux qu'un.

Elle, sa hantise, à l'image des sportifs de haut niveau, c'est le peu de temps qui lui reste, c'est la limite d'âge au-delà de laquelle les beaux bureaux réservés aux plus hauts postes et les grands lits ouverts sur le septième ciel se referment pour s'ouvrir à plus jeune que vous.

Ce soir-là, Tess devait passer prendre un verre à la maison, après quoi nous irions retrouver sa sœur dans un restaurant du quartier. Elle sonne. Je lui ouvre. Elle se plante devant moi, et tout de go :

— Comment tu me trouves ? Dis-le-moi franchement.

— Comme d'habitude. Pourquoi ?

— Parce que ce midi j'ai déjeuné avec une copine à la cantine de la BNP. Elle m'a présenté certains de ses collègues et « bonjour », « enchanté », ils ont échangé quelques mots avec elle et ils ont passé leur chemin sans me prêter la moindre attention. Comme si j'étais transparente, tu vois.

— Et alors ? Ça arrive à tout le monde, non ?

— Non, moi, c'est la première fois. Qu'est-ce qui se passe ? Je ne comprends pas. Ou plutôt, si, je comprends trop bien.

— Tu comprends quoi ?

— Que j'ai perdu le don.

— Le don de la séduction ? Du jour au lendemain ? Ça n'existe pas.

— La preuve que si.

— Enfin, chérie, c'est absurde. Tu es toujours aussi jolie, aussi charmante, aussi... Remarque, ça n'est peut-être pas le don que tu as perdu, c'est le désir de l'exercer.

— Non, impensable ! Tu me connais, j'en

ai besoin comme de l'air que je respire. Il n'y a que comme ça que je me sens exister.

— Oui, mais là, tu n'étais sans doute pas à ce que tu faisais, t'avais la tête ailleurs. Faut quand même un minimum de concentration pour réussir à faire impression sur des gens pressés qui ont mille autres choses en tête, tu ne crois pas ?

— Attends, j'étais comme d'habitude. Mais en plus moche, en plus tapée, c'est clair.

— Tiens, il y avait longtemps ! Ce que tu peux être chiante, Tess, avec ça : « Tu as vu cette ride, là ? Et ce cheveu blanc ? Ça y est, c'est le début de la fin. Quel âge tu me donnes, là, aujourd'hui, dis ? »

— Ça, c'est pas mal ! Et toi, tu ne parles jamais de ton âge, peut-être ?

— Tu m'excuseras, mais j'ai quand même soixante-seize balais. Ça m'en fait je ne sais pas combien de plus que toi, vu que ton âge, tu te gardes bien de le dire. Plutôt crever !

— C'est vrai que tu deviens irascible, elle a raison, Anouchka. Allez, te fâche pas et raconte-moi plutôt comment ça a commencé pour toi.

— De quoi tu parles, là ?

— Ben de ça, de ce qui m'est arrivé. Quand est-ce que tu as senti que tu n'étais plus cotée à la bourse de la séduction ?

— Ça dépend sur quel plan. Non, parce que j'ai eu beaucoup de chance. Quand les mecs ont cessé de me regarder, ils ont commencé à m'écouter. Mes chroniques à la dernière page du *Monde* marchaient du tonnerre. On en parlait dans les dîners en ville. Je recevais tout plein de lettres, de compliments, de...

— Oui, mais, bon, c'est pas pareil. A quel âge tu t'es aperçue que tu n'étais plus dans le coup, que tu étais trop vieille pour...

— Je ne sais pas moi... autour de cinquante-cinq ans.

— C'est terrible, quand on y pense. Non, parce que sur le marché du travail, c'est pareil. C'est même bien pire. A partir de quarante-cinq balais, question promotion, terminé. La boîte te préfère une jeune moins qualifiée peut-être, mais qui lui revient beaucoup moins cher.

— Alors là, pas de souci ! Ils tiennent trop à toi pour vouloir faire des économies sur ton dos. Ton P-DG t'adore. Tes Jules aussi. Tu n'as aucune raison de flipper, enfin, chérie.

— N'empêche, faudrait vraiment que je me fasse tirer le front et les paupières, mais là, pas moyen, je ne peux pas disparaître pendant un mois... Oui, le temps de dégonfler... Trop de boulot. L'ennui, c'est que si je veux le conserver, ce boulot, j'ai intérêt à donner l'image d'une jeune battante jusqu'à l'âge de la retraite, la vraie, pas la « pré ».

— Paraît que le lifting, les hommes y viennent de plus en plus souvent, et pour les mêmes raisons.

— Bien sûr. T'as qu'à voir, dans les clubs de gym, sorti des cover-boys et des candidats au titre de M. Muscle, la clientèle tourne autour de la cinquantaine. Une cinquantaine enrobée, briochée, joues pleines, ou alors affamée, émaciée, cou ridé. Sous la sueur, ils sentent tous le cadre menacé, angoissé, obsédé par son apparence. Pareil que nous.

— Pareil que toi, ma puce. Parce que moi et la plupart des nanas qui se retrouvent aux cours – « Dis voir, Liliane, tu prends le "Fes-ses-abdos-cuisses" demain à 15 heures ? » – viennent là pour se donner bonne conscience : « On va encore trop bouffer chez ma belle-mère dimanche midi, faut que je compense. » Au vestiaire elles échangent des nouvelles de la grossesse extra-utérine d'une cousine et des mauvaises manières de la nouvelle petite amie de leur fils : « T'aurais vu la façon dont elle m'a répondu quand je lui ai demandé de ne pas laisser traîner ses collants sur la table à café... In-sen-sé ! » Elles ne suent pas l'angoisse, ces filles-là, crois-moi.

— Tu m'étonnes ! C'est quoi, tes copines, Maminette ? Des ménagères de moins de cin-quante ans, non ? C'est des reines. C'est pour elles qu'on s'échine dans mon agence de pub. C'est en pensant à elles qu'on va bientôt me trouver trop vieille pour être capable de les séduire.

— N'empêche, elles sont touchées par la limite d'âge pareil. Passé quarante-neuf balais, elles n'intéressent plus les annonceurs, tu es payée pour le savoir.

— Bien fait !

Avant d'en arriver à la sœur de Tess – sa demi-sœur, en fait, après le divorce de ses parents, son père s'est remarié, d'où Carole –, faudrait peut-être que je vous la raconte. Elle est adorable, cette gamine – à trente-deux ans, pour moi, c'en est une –, toute menue, toute fluette, une jolie petite crevette, c'est le surnom que je lui ai donné, avec un teint diaphane, des grands yeux noisette et des lunettes. Les lunettes, moi, je déteste. Elle adore. Je la supplie de mettre des verres de contact, rien à faire. Naïve et butée, confiante, trop confiante et souvent déçue, elle a un côté enfantin qui appelle les câlins et autorise les taquineries.

Tess, qui n'arrête pas de la chambrer, s'amuse de sa peur panique de se retrouver, comme elle, arrivé le retour d'âge, seule, sans mari, sans enfants et sans grande maison entourée d'un jardin.

— Et le chien, tu l'oublies ? Il fait pourtant partie du tableau, non ? Moi, je te verrais bien avec trois gamins, deux garçons, une fille, et un labrador. Qu'est-ce que tu en penses, Maminette ?

— Non, le labrador, ça fait chien de président. Remarque question grande maison, pourquoi pas l'Elysée ? C'est central et tu as le métro direct pour Sélectour Opéra.

Oui, parce qu'elle bosse dans une agence de voyages, Carole. Et tous les dépliants qu'elle propose à ses clients, mer bleue, cocotiers et sable blanc, Venise, ses palais, ses gondoles et ses ponts, ne rendent que plus poignant son désir obsessionnel d'une belle lune de miel au bras du Prince charmant. Encore faudrait-il le rencontrer, lui plaire et se l'attacher. Pour le meilleur et pour le pire. Jusqu'à ce que la mort les sépare. Seulement voilà, je ne sais pas comment elle s'y prend, ma crevette, mais chaque fois qu'elle en croise un, ou il regarde ailleurs ou il ne fait que passer.

D'après Tess qui ne perd pas une occasion d'évoquer son sex-appeal et ses prouesses au lit, sûr que ça n'est pas un bon coup, sa sœur. Trop fleur bleue, trop sentimentale. Elle doit préférer, et de loin, les mots d'amour aux plaisirs de l'amour. C'est le genre de fille qui ne s'épanouira que la bague au doigt.

Possible, pas certain. Pour la vieille belle que je suis – mon modèle, c'était Katherine Hepburn ! –, le problème, c'est les lunettes (« Jamais de la vie, voyons, Maminette, c'est très tendance, très marrant, les lunettes ! »). Et cette impatience grandissante qui l'incite à gamberger sur le premier venu. Suffit d'un compliment ou d'un mot gentil – « Ça vous va bien, ce rose fuchsia » ou « Tu m'as apporté un café ? T'es mignonne, tu sais, ma jolie, décidément tu me plais » – pour qu'elle s'y voie déjà : voile de dentelles, bouquet rond, marche nuptiale, demoiselles d'honneur et tout le tralala.

Ce n'est pas qu'elle nous fasse des passions nerveuses à répétition, non. Elle est trop fine, trop gaie, trop tête en l'air pour tomber bien longtemps dans le piège d'un fantasme alimenté par les preuves purement imaginaires d'un amour partagé. Mais, bon, ça illumine sa journée et ça entretient son espoir de le rencontrer enfin, Mister Right.

— Il avait une de ces façons de me regarder...

— Qui ? Quand ? Où ?

— Alain Legal. Un collègue que j'ai rencontré mardi au pot donné par une fille de la comptabilité à son retour de congé de maternité. Il est grand, il est beau, il est drôle. Il a deux ans de plus que moi. Séparé – sa femme l'a quitté –, pas d'enfants. Le rêve, quoi !

— Tu ne vas pas recommencer, voyons, sœurette !

— Non, je vais continuer. Il est passé à Opéra le lendemain, il m'a invitée à déjeuner et on dîne ensemble vendredi soir. Qu'est-ce que vous dites de ça ?

— Que ça va foirer encore un coup, j'en mettrais ma main au feu. Tu as le chic pour ça, chérie, tu sais bien.

— Pourquoi tu lui dis ça, Tess, c'est pas gentil. Si je peux te donner un conseil, ma petite fille, pour que ça marche, il y a une marche à suivre. Vendredi, au restaurant, à peine aurez-vous passé votre commande que tu dois mettre la conversation sur le chapitre des enfants.

— Enfin, Maminette, ça va pas la tête, c'est ça qui les fait fuir, les mecs, c'est le désir d'enfant.

— Justement. Tu vas lui dire d'entrée de jeu que, toi, un bébé, tu n'en veux ni cru ni cuit. Tu tiens trop à profiter de la vie pour te lancer dans un trip pipi-caca-popo-dodo, changes et coliques du nouveau-né. Très peu pour toi !

— Mais, c'est pas vrai, ça, Maminette, j'en rêve, moi !

— Tu le lui as déjà dit ?

— Bien sûr qu'elle le lui a dit, voyons, Maminette, je parie même qu'elle lui a demandé ce qu'il préférait question prénoms, Antonin ou Tanguy, Clara ou Rosalie ? Et combien il avait de mètres carrés vu que, chez elle, c'est trop petit pour y installer une chambre d'enfant.

— Je n'ai pas eu besoin de le lui demander, il me l'a dit. Il a laissé l'appart à sa femme et il loue un studio minuscule mais très charmant à deux pas de son agence dans le Marais.

— Dans le Marais ? Il ne serait pas gay, par hasard, ce mec ? C'est peut-être même pour ça que sa femme l'a quitté.

— T'aimerais bien, hein, Tess ? Ben, je regrette, il est tout sauf homo, Alain, il serait plutôt...

— Homophobe ? C'est ça ? Encore mieux !

— Tu vas la lâcher, oui, Tess ? Donc, à aucun moment vous n'avez parlé bébé ? Tu me le jures ? Parfait. Alors, écoute-moi bien : pas de bébé, pas de mari, la vie à deux, c'est super, à trois, c'est l'enfer. Si tu vois qu'il a l'air heureusement surpris, tu restes ferme sur ta position et tu y reviens à chaque occasion.

— Jusqu'à quand ?

— Jusqu'à ce que je te dise d'en changer.

— Et s'il a l'air désagréablement surpris ?

— Ça m'étonnerait, mais, bon, dans ce cas-là, on avisera. Fais pas cette tête-là, voyons, Carole, on dirait un chaton binoclard à qui on enlève sa soucoupe de lait ! On te la rendra, t'inquiète ! Enfin, j'espère. Comprends-moi, si tu veux obtenir d'un homme qu'il s'engage à fonder une famille avec toi, il ne faut surtout pas le lui demander. Ni même le lui suggérer. Il faut que ça vienne de lui. S'il ne prend pas les devants, tôt ou tard, il prendra le large, là, Tess a raison.

Tess m'a regardée, interloquée, sur le point de se récrier. De toute évidence, en jeune femme séduisante, libérée, habituée à se choisir un partenaire parmi ceux qui ne demanderaient pas mieux, et capable de lui imposer ses désirs sans jamais le voir se cabrer, elle les trouvait incroyablement vieux jeu, ces conseils de marieuse à l'ancienne. Voyant venir le danger, je lui ai fait signe de garder ses réflexions pour elle et, grâce à Dieu, elle l'a bouclée.

Elle n'a pas tort, mais, bon, c'est moi qui ai raison. Le problème, voyez-vous, c'est que tout le monde ne vit pas avec son temps et que les vieux modèles, ceux qui remontent au XIXe siècle plus particulièrement, ont toujours une énorme cote. Moi, j'ai eu la chance de pouvoir organiser mon existence avant et après Mai 68. Jeune fille – oui, j'en étais une, une vraie ! –, je préservais jalousement ma virginité pour être sûre de dégoter un beau parti, comme on disait alors. Au lieu de le dilapider, fallait faire fructifier ce précieux petit capital et ne le placer qu'à bon escient. Ça vous choque ? Que voulez-vous, autres temps, autres mœurs ! Encore que cette valeur-là reste très appréciée, même s'ils ne s'en vantent pas, par tout un tas de jeunes gens. Des fils de famille, des bourgeois ? Pas uniquement, au contraire. Ce genre de réflexion, « Je ne vois pas l'intérêt d'acheter un paquet de cigarettes déjà entamé », vous l'entendrez bien plus volontiers accoudé au zinc d'un café-tabac de village qu'au bar du Ritz.

Quoi qu'il en soit, comme la libido des filles s'éveille beaucoup plus tard que celle des garçons, le fait de résister à leurs avances, de les tenir en haleine, ne présentait que des avantages. Celles qui savaient s'y prendre, en se faisant désirer, en dosant leurs sorties au compte-gouttes, fût-ce avec le plus beau, le plus populaire des garçons de la classe – « Demain soir ? Non, désolée, je ne serai pas libre avant vendredi en quinze » –, étaient entourées d'une cour empressée, haletante, fouettée par la difficulté et l'esprit de compétition.

Quand je vois des gamines de quinze ans se forcer – elles n'en éprouvent pas encore le désir – à coucher avec leur petit ami pour ne pas le voir leur préférer une copine moins farouche, ça me fend le cœur. D'autant que c'est rarement une partie de plaisir. C'est maladroit, un ado, c'est pressé, surtout la première fois. Une vraie boucherie. Moi, j'y vois un des effets secondaires les plus mutilants, les plus dévalorisants pour une toute jeune femme, de la révolution sexuelle.

D'autant qu'avant de passer à la casserole, au lieu de se laisser courtiser, chouchouter, complimenter et inviter à dîner, ce sont elles, trop souvent, qui se croient obligées de faire la queue devant le comptoir du MacDo : « Tu me prends un hamburger extra big et deux rations de frites, OK, Sophie ? »

Et après ? Quelle importance ? Pourquoi ce serait au garçon et pas à la fille de demander l'addition ? Parce que. Parce qu'il s'agit d'une danse de la séduction, en l'occurrence. Parce qu'elle est de règle dans le monde animal. Parce que les comportements et les rôles respectifs du mâle humain et de sa femelle s'y rattachent et parce que ça ne date pas d'hier, ça remonte au paléolithique.

C'est pas moi qui le dis, attention, c'est Darwin.

A l'époque, M'sieur Cro-Magnon s'élançait, lance au poing, à la poursuite d'une antilope pendant que, accroupie devant un feu d'herbes sèches, M'dame Lucy épouillait la glapissante marmaille pendue à ses mamelles. Il chassait. Elle maternait. Il débordait d'aventureuse agressivité gonflée à la testostérone. Elle barbotait dans la mollassonne et douce soumission d'un bain d'œstrogènes. Bref, lui venait, il en vient toujours, de Mars, elle de Vénus.

Je vous entends vous récrier : « Arrête tes conneries ! Il avait tout faux, ce vieux cochon sexiste de Darwin. Elles l'ont prouvé, les féministes. Elles ont complètement démoli sa thèse, la thèse évolutionniste. » Qui ça ? Quand ça ? Des anthropologues et des biologistes américaines. Il y a trois, quatre ans déjà. Elles affirmaient que nos lointains ancêtres ne bouffaient pas que de la viande, loin s'en faut. Ils se bourraient de graines, de racines et de baies. Cueillies par qui ? Ben, tiens, par Lucy. Et qui veillait sur la nichée pendant ses longues, ses fréquentes absences ? Mamy. A en juger par le rôle de la grand-mère dans les rares tribus primitives épargnées par les assauts de la civilisation, tout autorise à penser qu'il en allait de même à l'âge de pierre.

Mieux : ces championnes de l'égalité absolue entre les sexes ont découvert, va savoir sur quel site archéologique, les traces d'un filet. Preuve qu'en ces temps reculés, hommes, femmes et enfants traquaient la bête, à grands cris, pour l'amener à tomber dedans. Comme le font aujourd'hui encore les M'buti au Congo. Et tissé par qui, là aussi, le filet ? Oui, c'est ça, par Lucy. Alors, ne viens plus nous bassiner avec tes danses de la séduction : au mâle de faire son intéressant, à la femelle, sa coquette.

Désolée ! Je sais bien, et je m'en félicite, que ce qui distingue l'humanité c'est d'avoir voulu brider la nature au nom de la culture, mais, bon, c'est relativement récent, ça remonte aux années 70. Et, dans le cas précis, ça va contre un instinct vital, l'instinct de reproduction, gage de la survie de l'espèce.

31

Du simulacre de la reproduction, à présent, d'accord, mais, bon ! Reste que si, dès l'adolescence, les garçons, en constante érection, ne savent où donner du sperme, l'immense majorité des filles, plus lentes, plus réfléchies, éprouvent encore et toujours, venu du fond des âges – c'était le cas de mon temps, ça l'est encore, j'en suis persuadée –, un besoin de sécurité. Traduction en langue moderne : un besoin de sentiment partagé.

Moderne, parlons-en ! Elles datent grave, tes copines. Elles font carrément milieu XXe siècle. T'aurais pas pu nous en dégoter une un peu dans le vent, le vent qui s'est levé outre-Manche avec Bridget Jones. Une jeune femme d'aujourd'hui, la petite trentaine enveloppée, urbaine et paumée. Pleine d'humour et d'espoirs déçus. Le portable à l'oreille, les bourrelets anxieusement serrés entre le pouce et l'index, le studio pourri jonché de fringues trop étroites, trop serrées, la bouteille de chardonay descendue au goulot, les petits amis à la débandade et les grandes amies à la rescousse.

J'aurais pu, oui, mais je ne vois pas l'intérêt. Je ne crois qu'aux prototypes. Pourquoi refaire ce qui a déjà été fait et très bien fait ? Des Bridget, que ce soit l'original ou les innombrables copies lancées sur le marché du livre depuis, on ne voit plus que ça à présent. Vous me direz : des Carole, des Tess et des Annie, ça court les rues aussi ! Normal, parce que, encore une fois, ce qui caractérise notre époque, c'est la fragilité, la brièveté des relations amoureuses. Ce n'est plus la mort qui nous sépare, c'est la vie. Une vie faite de rencontres successives plus ou moins longues, très rarement définitives. Et l'angoisse qui en résulte si on vous largue, le soulagement souvent mêlé de culpabilité si c'est vous qui prenez le large. Alors bon, va pour ces trois-là.

— Eh, ho, Tess ! Où t'es là ? Dans la lune, on dirait.

— Qui, moi ?

— Ben oui, tu es plantée là, les yeux ailleurs, la bouche ouverte. Qu'est-ce qui t'arrive ?

— Rien... Rien...

— C'est un mec, c'est ça ? Encore un ? Mais t'en as déjà deux...

— Et alors ? J'ai déjà souvent mené à trois, toi aussi, Maminette, non ?

— Oui, mais, bon, quel besoin avais-tu de... Tu me disais que ça allait plutôt mieux avec ton régulier et que du côté de ton extra...

— Jeannot s'est un peu calmé, oui, rapport à l'autre. Ça devenait infernal, ces crises de jalousie à répétition. Mais, là, j'ai l'impression qu'il ne se doute plus de rien. Normal, remarque, mon extra comme tu dis, je le vois moins, forcément.

— Tu vois qui, alors ?

— Un garçon.

— Je m'en doute. Quel garçon ?

— Un jeune stagiaire. On l'avait embauché pour faire un remplacement au mois d'août et, bon, on n'a pas pu le garder.

— Il fait quoi, alors ?

— Il cherche du travail.

— Quel âge ?

— Vingt-quatre ans. Il trouvera sûrement. Il est très artiste, très doué, très...

— Doué pour quoi ?

— Pour tout. Il dessine, il écrit, il adore la musique, il fait très bien les pâtes...

— Et l'amour, hein, c'est ça ?

— Alors, là, Maminette, tu ne peux pas imaginer ce que c'est... Le bonheur avec un grand B, l'extase.

— Avec un grand E, oui, je vois. Mais, bon, ça ne donne pas tellement de débouchés tout ça. Qu'est-ce qu'il a fait comme études ?

— Il a quitté l'école à dix-huit ans pour s'inscrire dans un cours de théâtre. Il voulait faire du cinéma, de la télé... Il aurait pu. Il est beau comme c'est pas permis. Très grand. Très athlétique. Brad Pitt. En mieux.

— Je ne comprends pas. Quelle idée pour un apprenti comédien d'aller suivre un stage dans une boîte de pub ?

— Au bout d'un certain temps, il en a eu marre de courir les castings, de passer des auditions. Il ne décrochait que des figurations minables et...

— Pourtant, Brad Pitt !

— Sauf que lui, il s'appelle Boris.

— Il est d'origine russe ?

— Par sa mère, oui. Son père est breton.

— Et ça a commencé quand, cette histoire ?

— Il y a à peine trois semaines.

— Les filles sont au courant ?

— Annette. Pas Carole. Déjà qu'elle n'arrête pas de pleurer sur le triste sort de Jeannot... A-t-on idée ! C'est génial pour lui, voyons, d'être resté avec moi pendant bientôt six ans.

— Ah, parce que tu as l'intention de le larguer lui aussi ? Tu vas te mettre en ménage avec Boris, c'est ça ?

— Je suis assez tentée, oui. Si tu veux, je te l'amène, tu comprendras. C'est un rayon de soleil, non, de lune, un bain de minuit, un enchantement de chaque instant. C'est fou ce que je suis bien avec lui. Epanouie, heureuse, rajeunie.

— Chez toi ou chez lui ?

— Comment ça ?

— Tu vas l'installer chez toi ou tu vas vivre chez...

— Non, ça, pas question. Il habite encore chez ses parents.

— Ah ! je vois.

— Tu vois quoi ?

35

— Je pense que ça ne va pas coller. Tu as toujours été gâtée par les mecs. Tu es comme moi, tu adores ça. T'as pas l'habitude de les entretenir, de...

— N'importe quoi ! Je n'ai pas de problème avec le fric, moi. Je gagne très bien ma vie. Mes hommes, je leur ai toujours fait plein de cadeaux. Et puis quand on aime...

— On ne compte pas, oui, je sais. N'empêche ! Enfin, tu verras bien. Remarque, comme tu as horreur de rompre, tu ne verras rien avant un bon bout de temps !

Quand je dis que j'adore ça, être gâtée par les hommes... J'adorais. J'y voyais une preuve d'amour-passion. La plus tangible, la plus indiscutable. Le prix qu'on était prêt à mettre pour avoir le privilège de faire un bout de chemin avec moi. Oui, je sais, ça fait très pute. Je l'étais. Je le suis toujours. Une vieille pute. Et ce qui me manque le plus, l'âge venu, ça n'est pas le déclin de mes forces, les portes d'immeuble de plus en plus lourdes, le ski de descente qu'on abandonne pour le ski de fond, le ski de fond auquel on va devoir renoncer pour se promener sur les sentiers qui longent les pistes, les robes sans manches et les décolletés. Non, tout ça, je m'en fous, là, maintenant. Ce qui me tue, c'est le fait de ne plus être, je ne dirai pas entretenue...

Encore que ça y ressemblât beaucoup. A mes débuts, je vous parle des années 50-60, mon salaire – nettement plus modeste que celui de mes partenaires, soyons justes – me servait d'argent de poche, et je trouvais parfaitement normal qu'ils assument pratiquement toutes les charges du ménage. Il faut dire aussi qu'à l'époque, dans les milieux aisés bien sûr, c'était pratique courante.

Et j'en ai profité, sans honte aucune, ravie, au contraire, comblée. Au grand dam de mes parents, féministes à tout crin l'un et l'autre, déjà farouches partisans de la parité, navrés de me voir ignorer à ce point les préceptes d'une éducation très stricte, pourtant, très intransigeante, fermement arc-boutée sur les droits et les devoirs d'une femme libérée. Mais, bon, je n'en ai gardé que ce qui pouvait me servir, m'aider à m'épanouir : de bonnes études, un bon métier, le besoin de m'imposer, le goût du dépassement de soi et le plaisir de la réussite. Pour le reste, pour ce qui concernait ma vie privée, tant pis ! Autant profiter de la vie ! Et j'en ai bien profité, croyez-moi !

Trop peut-être. J'y ai pris de mauvaises habitudes. Ma part d'impôts, de taxes d'habitation, tout ça, à présent, malgré l'enviable état de mes finances, je rechigne encore à m'en acquitter. Et je suis désagréablement surprise, limite choquée, quand, s'agissant d'un dîner au restaurant ou d'un voyage, fût-il

37

lointain, l'évolution des mentalités et l'inéluc-
table passage de la passion à la tendresse
aidant, on trouve normal de me voir ramasser
l'addition ou payer mon billet d'avion. Je
m'exécute parfois, bien obligée, mais ça me
fait mal. Mal à mon pouvoir de séduction, à
mon sex-appeal, à ma jeunesse enfuis. A mon
« moi » le plus profond qui, lui, ne change
pas en dépit des apparences. C'est tout le
drame de la vieillesse, c'est cette disparité
entre le dedans et le dehors, c'est le fait
d'avoir trente-cinq ans dans sa tête et d'en
afficher soixante-seize.

Curieusement, dans le domaine de l'amitié,
mes rapports à l'argent sont assez semblables
encore que complètement inversés. Là, j'aime
mieux donner que recevoir. J'ai plaisir à inviter mes copains. Un plaisir qui tient moins de
la générosité – ils ne sont pas à plaindre –
que de l'affirmation d'une totale indépendance, voire d'une certaine supériorité, ne
serait-ce que financière. L'occasion de me
faire respecter. Et, oui, la preuve de l'importance, vulgaire, peut-être, mais instinctive,
que, là encore, j'attache à l'argent dans les
rapports humains.

On dit souvent que l'amour n'existe pas. Il
n'y a que des preuves d'amour. Là, je suis
assez d'accord. Tout en convenant volontiers
que de toutes, la plus trompeuse, la plus facile
souvent, la plus commode aussi, est celle qui
se mesure à l'aune des sommes dépensées

pour séduire ou garder l'être aimé. Le dévouement, les attentions, la fidélité, les soins en cas de coup dur ou de maladies ont mille fois plus de valeur et sont infiniment plus parlants que les cadeaux dont, par exemple, les parents trop souvent absents couvrent leurs enfants dans l'espoir illusoire de se faire pardonner.

Mais, bon, j'ai beau me gendarmer, la plus touchante des histoires d'amour reste, à mes yeux, celle de ces jeunes mariés complètement fauchés. Le jour anniversaire de leur rencontre, il lui offre un peigne destiné à retenir les nattes de sa splendide crinière blonde, payé en vendant la montre de gousset qu'il tient de son grand-père. Et elle, une belle chaîne de montre pour laquelle elle a sacrifié sa chevelure sous les ciseaux d'un perruquier.

Ce que je vous avoue là, jamais je n'oserais le dire en ces termes à mon Anouchka. A Tess, oui, pas de problème, elle comprendrait. Pas Nouch. Je n'ai jamais rencontré quelqu'un de plus désintéressé, de moins exigeant et de plus droit sur ce plan-là. Un jour qu'elle me racontait, compréhensive, sereine, avoir poireauté encore une fois interminablement au restaurant où ils avaient rendez-vous, elle et Max :

— Que veux-tu, il est comme ça, toujours affreusement en retard. Avec moi, en tout cas, parce que dans son travail...

— Il le serait peut-être moins souvent si, au lieu de l'attendre sans piper, tu te cassais au bout de vingt minutes. Ça lui apprendrait.

— Bof, quelle importance du moment qu'il m'aime.

— Il t'aime ! Il t'aime ! Qu'est-ce que tu en sais d'abord ? Tu prends ça pour une preuve d'amour peut-être ?

— Quelles preuves ? Je ne comprends pas. Des preuves concrètes, matérielles, c'est ça ? Mais c'est nul ! Moi, je n'ai pas besoin de ça. Il m'aime, je le sens et ça me suffit.

— Et si tu te trompais ?

— Pourquoi tu dis ça ? Tu sais quelque chose que je ne sais pas ?

— Mais non, voyons chérie ! C'est une remarque en l'air, complètement gratuite. Bête et méchante. Je te demande pardon. Du fond du cœur.

Et voilà qu'un mois plus tard je la vois débarquer, toute retournée.

— Qu'est-ce qu'il t'arrive, Annie ?

— Tu avais raison pour Max. Il me trompe. Avec Sylvie.

— Sylvie ? C'est qui, Sylvie ? Le gros thon qu'on a rencontré à la sortie du cinéma l'autre jour ?

— Oui, sauf que c'est du thon frais, vingt-quatre ans, emballé, c'est pesé. Elle, ses kilos en trop, ils vont là où il faut, la croupe et les nichons. Je la trouve plutôt sexy, moi. Max aussi apparemment.

— Comment tu le sais d'abord ?

— C'est Lola qui me l'a dit. Elle les a vus aux Champs-Elysées. Ils sortaient de chez Virgin en se tenant par la main.

— Elle les a vraiment croisés ou elle a cru les apercevoir en passant dans un taxi, ta fille ?

— Dans un autobus. Mais, bon, il était bloqué au feu rouge et elle les a vus, de ses yeux vus. Pas de doute là-dessus.

— Quel besoin d'aller te raconter ça, aussi ? Elle est quand même un peu garce, ta Lola.

— Non, c'est pas ça. Elle n'a jamais pu encadrer Max et il le lui rendait bien. Ils n'arrêtaient pas de...

— Pourquoi tu en parles au passé ? Tu l'as viré ?

— Non. Je sais que je devrais, mais j'y tiens. Et de toute façon j'ai peur.

— Peur de quoi ?

— Peur de rester seule, de ne plus être en âge de refaire ma vie... Un bout de vie toujours. Depuis bientôt cinq ans qu'on était ensemble avec Max, j'étais bien, rassurée, épanouie. Je n'ai pas tellement envie de me retrouver en denrée périmée à l'étal du marché de la séduction.

— Tu parles comme un livre, dis donc, Annette. Un recueil d'idées reçues. Comme

41

si on ne pouvait pas rencontrer l'amour passé un certain délai de consommation. Regarde ce qui arrive dans les maisons de retraite.

— Ils s'envoient en l'air, en poussant des cris, les petits papys et... Oh, pardon ! Mais bon, c'est ça ?

— Pas tous, non, mais dans mon coin en Bretagne, sur une bonne trentaine de vieilles dames pour cinq ou six messieurs, il y en a une, particulièrement moche d'ailleurs, une énorme dondon à lunettes de quatre-vingts balais qui les rendait tous fous, les mecs. Elle a fini par en choisir un et ça a été le grand pied. Tout émoustillée, elle dévalisait le magasin de frivolités du bourg pour s'acheter des soutiens-gorge à balconnet, des porte-jarretelles et des petites culottes en dentelles qu'elle s'empressait d'agiter ensuite, rame-narde, sous le nez – crois-moi, elles le tordaient, le nez – des mémères esseulées du foyer-logement. Alors, tu vois.

— Je ne vois pas, non, quel rapport avec moi ?

— Bon, ben, prends Tess. Ou moi. On se ressemble pour ça.

— Tess n'a jamais changé de partenaire sans avoir assuré ses arrières. Ce qui n'est pas mon cas. Moi, si Max me quitte pour cette pétasse, je ne sais pas ce que je vais devenir.

— Tu lui en as parlé ?

— Oui, mais sans citer Lola. Il a nié, bien sûr. Il s'est récrié. Il m'a engueulée : je ne savais pas quoi inventer pour lui pourrir la vie.

— Oui, ben, un bon conseil, tu laisses tomber, tu fais comme si de rien n'était, OK ?

— Pas évident, je vais te dire, pas évident du tout.

De mon temps, si. Oh ! Ce n'était pas le bon temps, loin s'en faut, c'était le temps où les divorcées étaient montrées du doigt, où les gens restaient ensemble pour le fric, pour la façade, pour les enfants, où l'adultère pratiqué de « cinq à sept » dans des hôtels de passe fleurissait à l'ombre du mariage – l'un servant de soupape de sécurité à l'autre – et où les vieux couples se ratatinaient ensemble, conservés dans le vinaigre de rancœurs recuites et d'animosité mal réprimée. A moins, soyons justes, que l'indulgence et l'amour aidant – l'amour-tendresse à ce stade évidemment –, on se soit attaché, rattaché à la vieille maniaque ou au vieux bougon qu'on avait été si près de quitter dans le douloureux, le lancinant tumulte de la passion bafouée. On cicatrisait, on s'accommodait, on écartait les mauvais souvenirs pour ne garder que les bons et on finissait par n'avoir qu'un désir :

ne pas la (le) perdre, au nom du ciel, et partir avant elle (avant lui).

De mon temps, donc, quand on trouvait deux billets de cinéma dans la poche de son mari, on y pensait à deux fois avant de lui demander des explications. Les magazines féminins étaient formels : pas de reproches, pas de scènes. Préparez un bon petit dîner aux chandelles, mettez un déshabillé affriolant, et dès que vous entendrez le bruit de sa clé dans la serrure, allez à sa rencontre en faisant la danse du ventre.

Résultat : il vous jetait un regard agacé, un peu étonné quand même, assorti d'un : « Qu'est-ce que c'est que ce cirque ? T'es tombée sur la tête ou quoi ? » Là-dessus, il allait se carrer dans son fauteuil, ouvrait son journal et vous tendait une main distraite : « Alors, ce whisky, ça vient ? »

Si elles avaient prévu le coup, les chroniqueuses du Courrier du cœur ? Bien sûr que oui. Dans ce cas de figure, le whisky, fallait le lui offrir à genoux devant ses jambes haut croisées après avoir pris soin de laisser bâiller son décolleté. Là, croyez-en ma longue expérience, deux possibilités : ou vous receviez son pied dans la gueule (99 chances sur cent), ou il vous ramassait dans ses bras (une seule).

Moi, j'ai toujours préféré la bonne vieille tactique : « œil pour œil, dent pour dent ». Il te trompe, tu en fais autant. La riposte doit être et rapide et sournoise. Faut pas lui laisser le temps de cristalliser sur la salope qui vous l'a piqué. Faut pas non plus que ça sente la manœuvre à plein nez : « Barre-toi si tu veux, je m'en fous, je suis folle perdue de mon prof de gym. » Non, faut lui rendre la monnaie de sa pièce au sou près, laisser s'installer le doute, l'inquiétude, voire un soupçon de jalousie. Dire que vous sortez avec une amie et lui demander d'appeler chez vous : « Je peux parler à Ginette ? – Ginette ? Je croyais que vous deviez passer la soirée ensemble ? – Ah, bon ? Excusez-moi, j'ai dû confondre. » Ce qui ne vous dispense pas d'avoir quelqu'un pour de bon, bien sûr...

— Oui, mais, bon, en attendant, j'ai personne, moi.

— Tu es d'une négligence aussi ! Quand tu n'as plus qu'un litre de lait entamé dans ton frigo, tu en achètes un autre par précaution, non ? Avec les mecs, c'est pareil. Si tu n'en as pas en réserve, faut t'en procurer un vite fait.

— Non, moi, tu sais, la drague, c'est pas mon truc. J'ai pas le physique pour ça, la tchatche, le savoir-faire.

— Dommage ! Faut vivre avec son temps, voyons, Annie. Tout est permis, là, maintenant ! Sauf à passer pour une pute, une traînée, une nymphomane, une chienne en chaleur, c'était impensable quand j'avais ton âge.

Comme de porter des boucles d'oreilles avec du tweed, ou de fumer dans la rue. Vous avez une de ces chances !

— Celle-là, entre nous, je ne crois pas que tu en profiterais vraiment. T'es pas du genre à lever un monsieur dans une soirée.

— Oui, bon, peut-être. Reste que tu pourrais t'arranger un peu, te mettre au régime, te muscler les fesses et le bide, te...

— Pour quoi faire ? Je me trouve très bien comme je suis. Je n'ai aucune envie de suivre ton exemple. De me shooter tous les matins, entièrement nue et soigneusement vidée, à l'aiguille de mon pèse-personne. Et de déprimer à mort si elle accuse plus de quarante-huit malheureux kilos.

— Bien obligée. Si je me laissais aller, je ne serais pas ronde, je serais carrément obèse.

— Obèse par rapport à qui, on peut savoir ? A Kate Moss ? A un top model anorexique ? T'en as pas marre, enfin, chérie, de te priver de tout depuis plus d'un demi-siècle ? De te casser le cul à faire encore de la gym comme si tu pouvais le remettre en forme de pomme.

— C'est pas pour ça que je continue à en faire, voyons, Annie. C'est indispensable à mon âge, tous les toubibs te le diront. Ça sert à lutter contre l'ostéoporose, ça fortifie, ça...

— Et t'obstiner à porter des talons hauts au risque de te casser la gueule à chaque pas, ou t'emmerder avec tes lentilles au lieu de mettre des lunettes comme la plupart des gens de ton âge, ça sert à quoi ?

— A rien, mais je ne peux pas faire autrement. Le jour où je m'autoriserai à me laisser aller, à lâcher la rampe, je serai bonne pour la maison de retraite.

— Alors ça, c'est pas mal ! A cinquante ans, tu en rêvais, tu me l'as raconté dix fois : « Vivement mes soixante-quinze balais que je puisse bouffer à ma faim et me sentir bien dans du 42 au lieu de rentrer le ventre pour me glisser péniblement dans du 38. » Et te voilà avec quoi... disons encore huit-dix ans à vivre agréablement. Tu devrais en profiter au lieu de te condamner à mener un combat perdu d'avance. Pour qui d'ailleurs ? Pas pour ton homme, quand même ? Parce que lui, ton allure, tel que je le connais, il s'en fiche royalement.

— D'abord, je n'en suis pas si sûre. Il n'est pas mécontent que je présente encore à peu près bien. En fait, c'est ça, mon souci, à présent, ne pas être trop désagréable à regarder, sentir bon, essayer de me tenir droite, donner l'image d'une certaine élégance d'allure, de maintien. Cela dit, plus ça va, plus c'est dur, je reconnais. Et dérisoire. A mon âge, t'es plus mince, t'es fragile, t'es plus blonde ou brune, t'es teinte. Si je pouvais, j'arrêterais bien les frais, crois-moi, mais je ne peux pas. C'est plus fort que moi.

Quand je vous le disais pour Tess ! Si son Boris ne l'avait pas obligée, sous la menace, à sauter le pas, elle mènerait encore à trois. Elle l'adore pourtant, mais elle a horreur de rompre. Elle qui n'a jamais pris plus de dix minutes pour se séparer d'un collaborateur, elle est incapable, s'agissant de sa vie privée, d'opérer de façon chirurgicale, de loin la plus saine, la moins cruelle. Au bistouri : « Jeannot, Chri-Chri, faut que je vous dise, c'est fini, terminé. J'aime quelqu'un d'autre. Alors, Jeannot, tu me rends les clés de l'appart et vous dégagez tous les deux. »

Moi, pareil. Moi, j'y allais en douloureuse, en sournoise douceur, au canif, par accrocs. Au lieu de couper net, j'entaillais, je déchirais, après quoi, prise de remords, j'essayais de raccommoder, de rapiécer un peu, pas trop, juste ce qu'il faut pour prolonger le supplice, le leur et le mien. Jusqu'à le rendre insupportable et à les pousser, les forcer, eux, à me quitter.

Alors, où elle en est, là, ma Tess ? Ça va. Ça va même très bien. Si bien que, entièrement livrée à sa passion toute neuve, elle nous néglige un peu, nous, les filles : « Une sortie ciné-dîner ? Quand ça, samedi ? J'aimerais bien, Maminette, mais... » Vous, je ne sais pas, mais moi, la fameuse sororité, la grande, l'enrichissante découverte des années 70 – les copines, il n'y a que ça de vrai –, je ne l'ai jamais vue résister à l'irruption d'un homme dans nos vies. Suffit qu'il se pointe à l'horizon, qu'il se rapproche, qu'il s'installe à demeure et qu'il la veuille toute à lui pour que l'heureuse élue néglige ces moments prétendument privilégiés d'entraide, de confidences détendues, chaleureuses, rigolardes et complices où, en fait, il n'est jamais question que d'eux, les mecs ! Et loin de s'en offusquer, de se sentir trahies, les autres comprennent et souscrivent ainsi à l'ordre immémorial des priorités.

Quand je dis les autres, pas moi. Moi, je le regrette et, à la limite, je le réprouve. Ça réduit l'amitié entre femmes au rôle de roue de secours, de pis-aller en attendant mieux : l'homme. Oui, bon, je sais, l'amitié résiste, passé un certain temps, à ces désertions, provisoires souvent, elle se renoue, se reforme. Tant il est vrai qu'à notre époque la vie en solo reprend souvent le dessus, bon gré mal gré, sur la vie à deux. Vous aurez beau dire, j'y vois une certaine forme, je ne dirai pas d'hypocrisie, mais de désir de se faire illusion, de prétendre trouver son bonheur là où il n'est pas, un bonheur qui ne dépend en réalité que de l'arrivée, tant espérée, du Prince charmant.

— Qu'est-ce que tu racontes, Maminette ? J'étais déjà avec Max, Tess naviguait entre

Chri-Chri et Jeannot, et on sortait ensemble avec Carole depuis belle lurette quand tu t'es jointe à nous.

— Normal. Vous aviez chacune vos histoires, des histoires relativement anciennes. Installées. C'est la concrétisation d'un nouvel amour qui change la donne. La preuve, Tess.

— Ce que tu peux être possessive quand même, c'est pas croyable ! Tu devrais te réjouir de la voir prendre un peu le large et t'inquiéter, au contraire, le jour où elle reviendra à son port d'attache pour cause d'avaries, ne parlons pas de naufrage...

— Bien sûr. N'empêche que j'ai raison, Anouchka, et que l'amitié entre filles passe après l'amour d'un garçon.

— Ça n'est pas vrai. Ça n'est plus vrai. De ton temps, les femmes se considéraient toutes comme des rivales potentielles. Elles s'épiaient, se jalousaient, se méprisaient, un peu comme les épouses dans le harem d'un sultan. En se libérant, elles ont appris à se connaître, à s'apprécier en tant que telles, y compris sur le plan professionnel, elles se sont découvertes, en somme, et c'est un formidable enrichissement.

— Oui, bon, je sais. Reste que...

— Reste que rien du tout. Reste que c'est beaucoup moins l'arrivée d'un mec que celle des enfants qui les absorbe au point de les éloigner de la bande des copines. Et crois-moi, elles le regrettent souvent.

51

— Oui, au fond, tu as peut-être raison. A propos, je t'ai pas demandé, est-ce que tu as surmonté ta déception d'avoir passé l'âge de faire des enfants ?

— Avec Max ? Après ce qui s'est passé ? Non, mais ça va pas !

— Où t'en es avec lui ?

— Au plus mal. Non, parce que je t'ai pas dit, j'ai pas résisté à la tentation de lui mettre le nez dans son caca en lui parlant de ma fille, du fait qu'elle l'avait vu sur les Champs avec sa pétasse... Tu sais, Sylvie.

— T'es folle ou quoi ? Je t'avais pourtant bien recommandé de...

— Oui, je sais... Mais, bon, là, c'est devenu invivable. Il en veut terriblement à Lola, au point de ne pas lui adresser la parole. Et elle ne supporte plus sa présence dans la maison, ce qui est assez normal. Du coup, je crois bien que je ne vais pas tarder à le virer.

— Attends, tu ne parles pas sérieusement, là ?

— Si.

— Ça, alors ! Mais il y a trois mois à peine, tu paniquais à l'idée de te retrouver en denrée périmée sur le marché de... Enfin, tu te souviens ? Il est arrivé quelque chose ?

— Non, quelqu'un.

— Tu as rencontré quelqu'un ? Et tu ne nous en as rien dit ? C'est quoi, ces cachotteries ?

— Ben, c'est ce que tu dis, c'est la sororité

52

qui part en couilles dès qu'il en surgit une paire. Une belle paire de couilles. Mais, non, idiote, je plaisante ! C'est tout simplement parce que là, je suis encore dans le noir... Le gris, mettons. C'est une sensation comme ça, une attirance, à peine une possibilité, rien de précis, en fait.

— Bon, alors, raconte, c'est qui ?

C'est le fils d'une de ses clientes. Une vieille dame très sèche, très digne, très exigeante et très friquée. Bel appartement dans le 17e arrondissement, meubles anciens, vases fleuris, gouvernante, coiffeur et pédicure à domicile. Geneviève de Villemoissan. Veuve. Un fils unique, Guy. Père divorcé de deux enfants.

Avant de le croiser dans l'antichambre en sortant de chez sa mère, Annie avait l'impression de le connaître sans trop savoir à quoi s'en tenir. A force d'en entendre parler en bien parfois : « C'est un garçon brillant, cultivé, un grand chirurgien, qui nous a donné toutes satisfactions. » En mal surtout : « C'est un garçon désordonné, brouillon, il me met de la cendre de cigarettes partout. Un coureur de jupons. Sa femme, enfin son ex-femme, une de ses infirmières, était infréquentable. Sotte. Frivole. Dépensière. Et, alors, leurs enfants... Ce n'est pas qu'ils soient mal élevés, ils ne l'ont pas été. Des petits animaux. Sauvages. Je les supporte difficilement. »

— Ben, dis donc ! Et il est comment physiquement, ce Guy ?

— Très séduisant. Grand, carré, bien enveloppé. Avec un bon sourire qui lui frise les yeux. Le teint bronzé sous une brosse de cheveux gris. Et, non, rassure-toi, pas de lunettes !

— Quel âge ?

— Il vient d'avoir cinquante ans.

— Vous vous êtes parlé ?

— Ce jour-là, non. Bonjour-bonsoir. Mais la fois suivante – j'ai su ensuite qu'il s'était renseigné auprès de sa mère pour savoir quand je revenais – il était là, vautré sur le canapé de la chambre, totalement imperméable à ses critiques sur sa façon de se tenir, de s'habiller, de...

— Il s'habille comment ?

— N'importe comment. Un gros costaud doublé d'un bon vivant. Ce qui agace sa mère, visiblement, c'est qu'elle n'a aucune prise sur lui. Quand elle lui a demandé de sortir pendant que je lui faisais les pieds, il a rigolé : « Pourquoi ? Vous avez peur de vous montrer pieds nus devant moi ? J'en ai vu d'autres, croyez-moi ! »

— Il vouvoie sa mère ?

— Si tu la connaissais, ça ne t'étonnerait pas. Après quoi, il s'est tourné vers moi et il m'a posé tout un tas de questions sur ma clientèle, sur l'atmosphère et les conditions de travail à Lariboisière... Lui, il est chef de service au Kremlin-Bicêtre. On est repartis ensemble, et avant de me quitter, il m'a demandé mon numéro de portable pour prendre rendez-vous. Un rendez-vous de travail, attention ! Son orteil gauche le fait souffrir, et comme il est obligé de rester debout pendant des heures d'affilée... Enfin, tu vois !

— C'est quoi, sa spécialité ?

— La neurochir, les traumatismes crâniens, les accidentés de la route, les urgences... Il n'arrête pas. J'en ai parlé autour de moi, paraît qu'il est tout à fait remarquable. Vraiment top.

L'autre soir, coup de téléphone de Tess :
« Dis voir, tu as eu des nouvelles de Carole,
ces jours-ci ? Non ? Ecoute, j'ai l'impression
qu'elle a un problème avec Alain, tu sais son
collègue de l'agence... J'ai essayé de lui tirer
les vers du nez... Rien à faire... Tu la connais,
avec moi, elle se méfie, elle a toujours peur
que je la taquine... T'es pas au courant ? Surtout tu lui dis pas que je t'en ai parlé, alors. »

Pauvre petite crevette ! Je l'ai appelée dans
la foulée. Et elle n'a pas tardé à me l'expliquer, son problème. Un gros problème. C'est
celui qui taraude, libération des mœurs ou
pas, la plupart des jeunes femmes quand
démarre une nouvelle histoire : faut-il coucher dès le premier soir ou pas ? Problème
facilement résolu par une simple règle de
trois. La voici : si vous couchez la première
fois, il n'y aura pas de deuxième fois. Si vous
couchez la deuxième fois, il vous en voudra

de ne pas avoir attendu la troisième fois. Si vous attendez la troisième fois, il en aura trouvé une autre qui accepte de coucher dès la première fois !

C'est assez farce, avouez ! On est là, on se turlupine, on se perd en conjectures, on se prend la tête à essayer de cerner, de décrypter l'étrange comportement de certains mammifères mâles à deux pattes particulièrement difficiles à domestiquer. On s'étonne de les voir aussi méfiants, aussi peureux. Dès que vous faites mine de les apprivoiser, ils flairent le danger et ils courent, la queue basse, se mettre à l'abri de vos poursuites, en se réfugiant dans le plus profond, le plus hermétique, le plus frustrant des silences.

« Il devait me rappeler à la fin de la semaine. Là, c'est la fin du mois et bon, rien. Ça veut dire quoi, d'après toi ? »

« Je lui ai laissé quatorze messages sur son répondeur depuis ce matin et il ne m'a pas rappelée. Qu'est-ce que je fais ? Je l'appelle en espérant qu'il décrochera ou je ne donne plus signe de vie jusqu'à demain ? Ça lui apprendra ! »

« Il devait passer me prendre hier soir pour aller dîner. Il n'est pas venu. Et puis, sur le coup de minuit, je trouve un texto : "pa pu vnr. A +." Aussi sec je lui en envoie un autre : "toré pu prévenir." Réponse deux jours plus tard : "Pa pensé désolé." Qu'est-ce que tu dis de ça ? »

Alors là, croyez-en ma longue expérience, vous ne pouvez leur dire, nous dire – j'ai vécu ça, moi aussi – que ce que, toute à notre perplexité exacerbée par cette incompréhensible attente, nous voulons bien entendre. Nous restons farouchement sourdes à des remarques de simple bon sens du genre : « Tu es sans nouvelles depuis trois semaines ? C'est qu'il n'a pas envie de te revoir point barre. » Alors, là, attention ! Ce n'est pas à lui qu'on en voudra, pas encore, c'est à la copine et à sa froide, sa cruelle lucidité.

Et on aurait raison. Ce serait inutilement bête et méchant. Mieux vaut essayer d'utiliser des faux-fuyants : « Il y a sûrement une explication, crois-moi. Quand tu lui as donné ton numéro de téléphone, il l'a noté sur quoi ? Sur un ticket de métro ? Alors, cherche pas, il a dû l'utiliser sans penser à regarder ce qu'il avait marqué dessus. » Quitte à les voir repartir dans leur délire : « Mon Dieu, mais alors, il ne sait plus comment me joindre, le pauvre ! Là, j'en suis carrément malade ! Je pourrais peut-être demander ses coordonnées aux amis qui nous ont invités ensemble ? Qu'est-ce que tu en penses ? »

Vous me direz, pourquoi prolonger d'inutiles souffrances ? D'abord parce qu'il y a parfois, c'est vrai, une bonne raison à ces soudaines coupures de courant qui nous obligent à tâtonner dans l'obscurité la plus totale à la recherche d'un semblant d'explication.

J'ai une amie, elle est restée quatorze jours et quinze nuits, comme ça, ligotée au fil de son téléphone – à l'époque le portable n'existait pas – sans dormir, ni manger. A peine osait-elle dégringoler ses quatre étages pour acheter *Le Figaro* chez le marchand de journaux du coin. Elle remontait chez elle à toute allure et se jetait sur les avis de décès. Seule sa mort, une mort soudaine, pouvait expliquer cet incompréhensible silence. Et puis, un beau soir : « Allô, c'est toi ? C'est moi, j'arrive. » Le monsieur en question, un producteur croisé à Venise, avec qui elle avait passé quarante-huit heures de rêve, avait attendu de revenir à Paris avant d'appeler. Pour lui rien de plus normal. Pas pour elle. Elle, elle avait compris dès le départ l'importance de cette brève rencontre. Elle savait d'instinct qu'elle occuperait une place prépondérante dans sa vie. Et elle n'avait pas envisagé une seule seconde qu'il puisse en aller autrement pour lui. A mon amie de l'amener ensuite à s'investir dans leur histoire autant sinon plus qu'elle.

— Alors, ma Carole, raconte, t'as fini par le faire quand ?
— La quatrième fois. En fait, je n'ai pas

eu le choix. Je me serai vraiment torturée pour rien ! Les trois premières, c'est lui qui n'a pas voulu. Il n'avait pas l'air d'y tenir en tout cas. Suffisait d'attendre qu'il se décide.

— Et ça s'est passé comment ?

— Bof, comme ça...

— Comment comme ça ?

— Dans le noir et dans le silence le plus total. Comme deux poissons dans un bocal. Il n'a pas ouvert la bouche. Pas même un grognement de plaisir, ou à peine. Je n'espérais pas un radio reportage genre « Va, va, c'est bon, ah, je viens », mais quand même...

— Et ça ne s'est pas arrangé depuis ? Mauvais signe. S'il peut se passer de la bande-son, ça prouve que ce n'est pas un véritable amateur de la chose du machin. Va falloir faire son éducation, multiplier les travaux pratiques, lui expliquer tout un tas de trucs, bref, l'initier aux plaisirs de l'amour.

— Attends ! Je ne m'appelle pas Tess, moi. Comment veux-tu que... Je ne saurais pas par où commencer. Je ne suis même pas sûre d'en avoir envie. Si encore il me murmurait des mots un peu flatteurs, un peu gentils. Mais non, rien. C'est comme si je n'étais pas là. Et, bon, moi, cette absence de chaleur, de tendresse, c'est pas que ça me refroidit, ça me glace.

— Alors, là, t'es mal barrée. Ou tu renonces et tu le fais passer par profits et pertes, ton Alain, ou tu te jettes à l'eau et tu essayes

de rattraper le coup en l'amenant à...
Comment il est dans la vie ? Empressé, enjô-
leur, attentif, ou simplement poli ?

— Charmant. Plein d'attentions. Il m'oblige
à enlever mes lunettes pour mieux voir mes
yeux, il me prend la main au cinéma, il me dit
que je lui plais, que je suis jolie. Normal, quoi.
C'est ça que je ne comprends pas. Suffit qu'on
fasse l'amour pour qu'il cesse d'en éprouver.

— Non, là, tu te trompes. Il a pris de mauvaises habitudes encouragées par un manque
évident de sensualité.

— Mais si, il l'est, sensuel. Très. Il adore
la bonne bouffe et les bons vins. Il...

— Désolée, mais ça ne veut strictement
rien dire sinon qu'il préfère les plaisirs de la
table à ceux du lit. C'est assez fréquent. Moi,
je connais plein de gens qui consacrent plus
de temps et d'imagination à composer un
menu qu'à élaborer une nuit d'amour. Ça se
prépare, tu sais, ça s'imagine, ça s'invente et
ça se vit à l'avance. Question de don, de goût
et d'entraînement. Il y a des virtuoses dans
ce domaine-là.

— Ouais, ben, visiblement, Alain, c'en est
pas un. Moi non plus, je vais te dire. Moi,
pour que je sois heureuse, faut que je me
sente aimée. Les prouesses techniques, les
positions compliquées, le Kama Sutra, tout ça,
je m'en fous. Je marche à l'émotion tout simplement.

— L'émotion amoureuse quand même,

non ? Tu ne vas pas me faire croire que l'orgasme, pour toi, c'est un beau coucher de soleil ou un rayon de lumière dans un sous-bois. On ne voit que ça, pourtant, dans les sondages auprès des lectrices publiés par les magazines féminins. Elles se racontent des histoires ou quoi ?

— Tu me demandes ça à moi ! J'en sais rien. Peut-être, oui. Pas forcément. A notre époque il n'y a aucune raison de prétendre préférer un coucher de soleil à une bonne pénétration. On n'a plus de ces pudeurs-là.

— Bon, c'est pas tout ça, mais de toute évidence, ton mec, si tu ne lui expliques pas ce que tu attends de lui, il ne la trouvera jamais tout seul, la marche à suivre.

— Tu me vois jouant les geishas ! Jamais je saurais, enfin, Maminette.

— Est-ce qu'il t'a déjà dit qu'il t'aimait ?

— Non, pas vraiment, mais bon, il m'appelle souvent chérie... Et l'autre jour, je me suis pris le pied dans son tapis, je suis tombée et il m'a aidée à me relever en me disant : « Tu ne t'es pas fait mal, mon pauvre amour ? »

— Et toi, tu le lui as dit ?

— Ben, non, je n'en ai pas eu encore l'occasion.

— Alors, un conseil...

— Arrête avec ça, tu veux, Maminette ! Tu m'as déjà conseillée question bébé et, crois-moi, c'est pas évident, tu ne vas pas remettre ça question dodo, écoute !

— Bon, bon, très bien, oublie. Mais c'est con parce qu'il y a peut-être un moyen très simple de le décoincer.

— Et c'est quoi ?

— Rien, rien, oublie, je te dis. Je n'ai aucune envie de passer pour la vieille pro qui explique aux lectrices de *Vingt Ans* ou de *Jeune et jolie* comment s'y prendre pour être performantes au lit.

Si je suis vexée ? Oui, parfaitement ! Que miss Petite Dinde ait le culot de m'envoyer péter, après m'avoir demandé de la dépanner – pas expressément, d'accord, mais c'est tout comme –, très bien ! Mais alors, pour ce qui est de mes conseils, elle peut toujours se rhabiller ! Plus question de lui en donner, ne fût-ce que le bout d'un. Tant pis pour elle ! Et tant pis pour vous ! Allez, je vous connais ! Vous aimeriez bien le savoir, vous, comment transformer une carpe en rossignol, hein ? Bon, ben, si vous insistez...

Alors, que je vous explique. Autrefois – ça remonte au XIXe –, une vraie jeune fille ne pouvait pas se promener au bras d'un monsieur, ne serait-ce que jusqu'au bout du jardin, sans chaperon, s'il ne lui avait pas fait sa demande. Sa demande en mariage, oui,

63

bien sûr. Ou à tout le moins sa déclaration. Une déclaration d'amour en bonne et due forme, relisez Jane Austen. Pour qu'elle consente à échanger quelques mots badins avec lui, fallait au moins qu'il se soit engagé auprès d'elle. En anglais, d'ailleurs, les fiançailles, c'est ça, c'est un « engagement ».

Cent cinquante ans plus tard, la libération des mœurs et celle de la femme aidant, on n'en est plus là, certes. Sauf qu'on y est encore. En plein. Ou plutôt en délié. Faute de pouvoir en rencontrer, c'est une espèce en voie de disparition, on ne rêve que de ça, d'un Prince charmant qui s'engagerait à nous, pieds et poings liés, pour toujours et à jamais. Quand je dis « on », je pense moins à Tess ni même à Annie qu'à Carole, bien sûr. Ou à moi quand j'étais jeune, et même moins jeune. Il me fallait du solide, du garanti, du certifié par un maire, un notaire ou, en cas de liaison parallèle, par l'assurance quotidiennement renouvelée d'une passion dévorante, limite obsessionnelle.

Au lieu de quoi, on en est réduites, sauf exception, à un « je t'aime », un seul, le plus souvent, lâché façon pet, subrepticement, en espérant qu'on ne l'aura pas remarqué. Ça, faut le savoir, question sentiments, ils sont plutôt constipés, les mecs. Eux, la grande vague d'émotion, les torrents déchaînés qui font basculer, cul par-dessus tête, toutes nos tours de contrôle, le délire amoureux, c'est pas tellement leur truc. Le nôtre non plus, hélas, oui, je sais. Ça n'arrive, quand ça arrive, qu'une fois, mettons deux, dans la vie.

Mais bon, les « je t'aime » lancés comme ça, sans y penser ou à peine, les « je t'aime » qui nous montent aux lèvres quasiment d'instinct, comme nous échappent sans qu'on songe à les retenir un « j'ai faim », « j'ai froid » ou « j'ai soif », les filles en sont beaucoup moins avares que les garçons. Ça n'est pas qu'ils en fassent l'économie, notez, c'est tout bêtement qu'ils n'en ont pas en réserve.

Faites le test, posez-leur la question : « Est-ce que tu m'aimes ? » comme ça en passant, et vous les verrez se refermer comme des huîtres, lèvres serrées, regard mauvais : « Pourquoi tu demandes ? Tu devrais le savoir, je te l'ai déjà dit, non ? » Non, il ne vous l'a pas dit, vous le lui avez extorqué, le revolver sur la tempe : « Si tu ne me le dis pas, là, maintenant, tout de suite, je te préviens, j'enlève l'échelle et je te laisse à califourchon sur le toit, cramponné à ton antenne. »

Pas question évidemment de tenter ce genre de chantage sous la couette. Là, il va falloir vous y prendre d'une façon plus radicale et plus subtile. Voici ma recette du mec en gelée servi chaud. Préparation : une demi-heure. Cuisson : quarante-cinq minutes au four à thermostat 6 puis 9. Ingrédients : un silence tranché épais soigneusement calqué sur le sien. Une bonne connaissance de l'anatomie d'un mâle en rut. Un soupçon de flair.

Marche à suivre. Ne jamais, sous aucun prétexte, éteindre les lumières. Prévoir un éclairage efficace, mais discret. Pendant les préliminaires, si tant est qu'il sache ce que c'est, le caresser d'une main, d'une bouche expertes, mais légères, de façon à obtenir un signe, voire même un mot d'encouragement à accentuer et à poursuivre votre effort (« Encore... Oui... Plus vite... Plus fort... »). Lui permettre de faire ce qu'il croit devoir faire, comme de vous mordre ou de vous pincer la pointe des seins, sans réagir autrement que par une furtive grimace ou une moue dubitative. Répondre par un sourire mi-résigné, mi-indulgent à sa probable demande d'explication (« T'aimes pas ? Je te fais mal ? »). Réchauffer ses ardeurs à feu un peu plus vif. Conserver les vôtres au freezer. Attendre qu'il exprime un vague sentiment d'inquiétude agacée devant votre absence de réaction (« Qu'est-ce qu'il y a encore ? »). Sortir de votre mutisme et lui expliquer très tendrement que, pour vous, le simulacre de la reproduction servi nature, sans sauce ni garniture, n'a aucun goût. Joindre le geste à la parole pour lui montrer que ça se mitonne, que ça s'assaisonne et que ça se consomme avec des bulles en forme de mots d'amour. Et laisser reposer sans touiller, vous risqueriez de tout rater !

Nous devions dîner, Tess et moi, chez Larue, un restaurant de poissons, avec Boris – « Il faut absolument que tu le rencontres » –, et puis non. Elle a préféré que ça se passe chez elle : « Une simple pasta, je te préviens, mais, bon, ce sera plus sympa. » Quand je suis arrivée – « Viens pas trop tard qu'on ait le temps de parler » –, elle n'était pas encore rentrée. C'est lui qui m'a ouvert. Un beau garçon, très long, très mince, hyper séduisant, un regard bleu roi fendu, étroit, étiré vers des tempes à la moujik, des cheveux blonds, raides, qui lui voilent le front, et un petit sourire fugitif, un rien malicieux, craquant.

— Tess vient d'appeler, elle ne va pas tarder. Elle m'a dit de vous offrir un verre. Vous voulez quoi ? Du vin blanc ? Un instant, je vais voir s'il y en a au frigo... Asseyez-vous. Votre manteau ? Il n'y a qu'à le poser là.

Il me désigne le bras d'un fauteuil encombré de cassettes et de DVD. M'invite à m'asseoir sur le divan d'un grand living tout blanc où règne le désordre sympathique – des baskets sur la table à café, deux trois chandails en guise de tapis, des canettes vides et des cendriers pleins – laissé par un gamin monté en graine qui visiblement y a passé la journée. Revient les mains vides :

— J'en ai pas trouvé. Vous voulez autre chose ? Un Coca ? Un jus de fruits ? Un whisky ? Oui, ça, il y en a. Sec ? J'aime autant parce que, moi, sortir des glaçons...

Et il s'assied en tailleur sur la moquette, jean troué, T-shirt, pieds nus, attrape un magazine, l'ouvre et le feuillette l'air ailleurs, distrait. Gêne ou timidité ?

Là-dessus :

— Ah, tu es là, Maminette ? Désolée, mais Perruchon ne voulait pas me lâcher.

Dans son tailleur d'*executive woman*, un châle joliment drapé autour des épaules et ses chaussures à talons, on dirait la mère de son copain. Au bruit de sa clé dans la serrure, Boris s'est levé d'un bond, content, soulagé. Il l'enlace, la serre contre lui. Elle se dégage tendrement comme à regret et se tourne vers moi.

— Tu as ce qu'il te faut ? Et ton gewürztraminer ? J'en ai acheté exprès pour toi.

Pourquoi tu ne lui en as pas donné, voyons, Boris ?

— Je l'ai pas vu.

— Il est dans la porte du frigo. Va le chercher, mon chéri, tu veux ?... Qu'est-ce que tu en dis, Maminette ? Il est trop, non ? Mais alors, un vrai gosse. Il ne range jamais rien, il laisse tout traîner... Comment tu le trouves ?... Merci, mon chéri. Tu vois, quand tu veux, tu peux. Prends ton verre, Maminette, la bouteille aussi pendant que tu y es, et viens m'assister, faut que j'aille me changer.

Elle m'entraîne dans sa chambre, enfile un pantalon, une chemise d'homme et des mocassins, se donne un coup de brosse après avoir défait son chignon et, rajeunie de vingt ans, me verse à boire tout en poursuivant son interrogatoire :

— Alors ? Tu lui as un peu parlé ? Remarque, t'as pas eu le temps de l'apprivoiser. C'est un chat, tu sais, mais un chat sauvage... Bon, c'est pas tout ça, faut que j'aille m'occuper du dîner.

Et nettoyer la cuisine, et laver les assiettes et les verres sales étalés partout, et sortir une serpillière pour éponger la flotte qu'il a renversée devant la cuisinière, et...

— Boris, viens voir ! Où est passée la grande casserole pour les pâtes ?

— J'en sais rien, moi, j'y ai pas touché.

— Enfin, mon chéri, elle était là dans le

buffet... Bon, ça ne fait rien, je vais en prendre une autre. Si tu mettais le couvert en attendant... Comment ça, pour combien ? Ben, tu vois bien... Tu sais compter jusqu'à trois quand même !

Boris lui tourne le dos, sort de la cuisine sans un mot et va se jeter sur le canapé du living, les mains derrière la nuque et les yeux au plafond. Elle déboule sur ses talons, inquiète, prise de remords :

— Enfin, mon chéri, tu ne vas pas te vexer pour ça... Je te taquinais, voyons... Allez, fais pas la tête, je t'en prie... Allez, quoi... Ecoute, pour le couvert, oublie, c'est pas grave, on s'en occupera plus tard.

De retour dans la cuisine, elle ferme la porte derrière nous et, tout en remplissant une marmite d'eau :

— Je ne sais pas ce qui lui a pris. Il a son caractère, mais de là à faire la gueule pour une simple plaisanterie... Qu'est-ce que tu en penses, tu trouves que j'aurais pas dû le charrier ? Remarque, c'est peut-être pas ça. Quand il a emménagé chez moi, il m'a bien précisé que ce n'était pas pour faire homme au foyer. Alors, le couvert... Déjà qu'il a dû s'occuper de toi, te chercher à boire, tout ça... Ecoute, faut absolument que j'aille me réconcilier avec lui. Je ne supporte pas ses bouderies. Ça me rend malade. Tu ne m'en veux pas, dis ? Je t'appelle demain et on remet ça la semaine prochaine.

Qu'est-ce que vous dites de ça ? Tess, ma Tess habituée à régner sur une cour de mecs, à diriger d'une main ferme un énorme service, s'affolant à l'idée qu'un gamin capricieux puisse la bouder ! Non, mais où elle va, là ? Remarquez, elle ne va nulle part, elle y est. En plein. Elle s'est laissé prendre au piège de la passion. Une passion exclusive, cette fois-ci, anthropophage. Elle ne se nourrit plus que de son homme-enfant. Un homme qui la comble. Un enfant qui la déroute. Son Boris, elle en a besoin comme de l'air qu'elle respire. Un regard qui se détourne, un silence qui s'installe et la voilà en manque. Un manque atroce, insupportable. Le manque de certitude né d'une réciprocité immédiate, spontanée. Elle angoisse, elle perd pied, submergée par la peur panique d'une indifférence mal dissimulée.

Alors, là, avec cet allumeur malgré lui – il ne marche qu'à l'instinct –, elle est mal barrée, la pauvre chérie. Ce qui fait son charme, le fameux charme slave – si, si, ça existe ! – mêlé à la séduction celte, c'est ce mystère, justement, ce côté indéchiffrable, ces sautes d'humeur, gaieté débordante ou abattement renfrogné que rien ne peut laisser prévoir et que rien ne vient expliquer. Enfin, mal barrée, n'exagérons pas. Elle va finir par s'en sortir, sûr et certain, par retrouver son sens critique et par reprendre ses distances, mais ça va prendre un bon bout de temps.

Jugez vous-même. Quatre à cinq semaines plus tard, je les invite à prendre un verre avant de les emmener dîner. Ils sonnent. Ils entrent, lui tout content, un joli bouquet rond à la main. Elle toute chiffonnée :

— Qu'est-ce qu'il y a, ma belle ? Ça n'a pas l'air d'aller.

— Si, si, ça va... Simplement... Attends, mon chéri, un bouquet, ça se met dans un vase, pas sur un fauteuil, voyons ! Donne, je m'en occupe.

Il la regarde, surpris : « Quelle importance ? » Enlève son blouson et ses baskets dénouées en les frottant l'une contre l'autre, les plante là, prend la télécommande et va s'allonger à même la moquette devant la télé que j'ai installée sur un meuble bas, dans un coin de la pièce.

— Enfin, Boris, c'est pas des manières ! Tu pourrais au moins demander la permission avant de...

— Laisse donc, Tess, ça ne me gêne en rien.

— Moi, si. La position assise, il connaît pas. Couché, ça, oui. N'importe quand, n'importe où. A la maison, passe encore, mais chez les gens...

— Ah, parce que chez moi, c'est chez « les gens » ? On n'est pas plus aimable !

— C'est pas ce que j'ai voulu dire, voyons, Maminette !

— Peut-être, mais c'est ce que j'ai

entendu, je regrette. Dis voir, Boris, ça t'ennuierait pas de baisser un peu le son ? Paraît que je comprends tout de travers.

Il s'exécute en me décochant un petit sourire complice par-dessus son épaule. Tess, ça la fout en boule. Elle se lève d'un bond, fonce sur la prise de la télé et l'arrache.

— Non, c'est vrai, c'est pas supportable, ces façons d'ado attardé : « Je fais ce qui me plaît, les autres, j'en ai rien à secouer ! » Pour un peu on en serait venu à se disputer à cause de ce grand...

Du coup, Boris se redresse, assis par terre, les bras autour des genoux, et la fixe du regard. Un regard que je ne lui connaissais pas, de bleu roi tourné au bleu nuit. Un regard embusqué derrière l'étroite fente de ses paupières étirées vers les tempes :

— Grand quoi ? Ben vas-y, dis-le, grand con, c'est ça ?

— Mais, non, qu'est-ce que tu vas chercher ?

— Alors, quoi ? Grand veau ? Grand nul ?

— Je ne sais pas, moi... Quelle importance ?

— Tu ne la vois pas ? Vous non plus, Maminette ?

— Surtout ne va pas me mêler à vos querelles, mon grand, mon grand tout court, je t'en prie.

— Très bien. Allez, tchao, je me casse. Permettez que je vous embrasse, Maminette ?

Tess, je te laisse à tes considérations pleines de tact sur le grand débile que tu te crois obligée d'imposer à tes amies : « Si c'est pas malheureux quand même à vingt-quatre ans ! Remarquez, il est propre, c'est rare qu'il fasse sous lui. Et comme il comprend pas un mot de ce qu'on dit, pas la peine de se gêner devant lui. »

Et il est parti.

Tess se précipite derrière lui :

— Reviens, voyons, mon chéri, reviens, sois gentil.

Trop tard. Il a dévalé mes deux étages et il a claqué la porte d'entrée derrière lui. Elle court à la fenêtre pour le voir disparaître au coin de la rue et reste plantée là, désolée, incertaine. Que faire maintenant ? Où aller ? Comment le retrouver ?

Alors, moi :

— Décidément, j'ai pas de chance ! Je les termine toujours toute seule mes soirées avec vous.

— Non, non, chérie, on va sortir dîner comme prévu... Tu crois qu'il va revenir à la maison, qu'il sera là quand je... ?

— Tu verras bien. Pas la peine d'aller te morfondre à l'attendre.

— Ecoute, qu'est-ce que tu dirais de rentrer avec moi là, tout de suite. Je pourrais toujours te trouver quelque chose à manger.

— Je dirais merci bien, mais non merci. Allez, file, je t'appelle un taxi.

Vous verriez Annie... Mé-con-nais-sable !
C'est pas compliqué, quand elle est venue me
faire les pieds, c'est à peine si je l'ai recon-
nue. D'abord, elle a fondu ; elle, l'amour, ça
lui coupe l'appétit. Ensuite, je ne sais pas ce
qui lui a pris, elle s'est fait teindre en blond.
Un blond fauve superbe, une épaisse crinière
coupée au carré. Et elle s'habille autrement.
Près du corps, un corps svelte, rajeuni et, oui,
hyper sexy. Depuis le temps que je la tannais
pour qu'elle se mette en valeur, moi, ça
m'enchante. Guy aussi apparemment, paraît
qu'il en est fou-perdu. Pas Tess. Tess, ça la
déstabilise. Dans le groupe, la beauté, sans
conteste, c'était elle. Et là, maintenant, ça se
discute. C'est pas qu'elle soit jalouse, mais,
bon, elle ne peut pas s'empêcher de lancer
des petites piques, des petites remarques un
peu coincées du genre : « Moi, je l'aimais
mieux en brune, et puis à nos âges, maigrir

aussi vite, ça tape, bonjour les rides. » Ou encore : « Va falloir qu'elle surveille ses racines et son poids, sinon... Remarque, telle que je la connais, dès que son toubib sera solidement amarré, elle va se laisser aller. »

Pas sûr. Euphorisée par son nouvel amour et son nouveau look, elle bulle, ma Nouch, elle rayonne, elle irradie : tout le monde il est beau, tout le monde il est gentil ! Boris ? Une merveille. Sa petite peste de Lola ? Un amour. Les deux enfants de Guy que leur mère s'est empressée de leur fourguer ? Un don du ciel.

Du coup, Tess : « Attends un peu qu'ils fassent vie commune, elle va déchanter, crois-moi. » On n'a pas attendu longtemps. Six mois plus tard, c'était fait. Retenu à l'hôpital jusqu'à pas d'heure, entre ses gamins et son Annette, Guy ne savait plus où donner de la tête. Et du cœur. Quand il passait chez elle, il s'inquiétait pour eux, et quand il était avec eux, il se languissait après elle. Vivre ensemble, ils en rêvaient l'un et l'autre. Encore leur fallait-il trouver un appart assez grand pour abriter une famille à ce point élargie.

Un jour qu'elle s'en ouvrait à la mère de Guy, restée sa cliente, la vieille dame, qui, se sachant à l'origine de leur histoire, non seulement l'approuve et l'encourage, mais ne demande qu'à s'en mêler, lui a fait une proposition. Pourquoi n'emménageraient-ils pas dans ce pavillon de banlieue qu'elle loue depuis des années à un vieux couple dont les enfants sont tous partis et qui voudrait habiter quelque chose de plus petit ? Il y aurait sûrement pas mal de travaux à faire, mais ça devrait aller assez vite. Guy a un client entrepreneur qui ferait n'importe quoi pour le remercier de lui avoir sauvé la vie. A part ça, l'endroit est charmant, la maison très agréable et le jardin encore assez grand.

C'est vrai. Ça n'est pas tout près, encore qu'avec le RER... Mais c'est exactement ce qu'il leur fallait. Anouchka et Guy ont pris une belle chambre d'angle. Ils ont donné la même de l'autre côté du palier à Lola. Et les garçons se sont installés au dernier étage, bien peinards, dans les mansardes. La cuisine est géniale, une cuisine américaine ouvrant sur un living lumineux, ensoleillé, tout en recoins, chauffé au feu de bois qu'on allume dès les premiers froids, une pièce à vivre, quoi, où ils passent le plus clair de leur temps.

Vous devez vous demander comment ça peut marcher entre Lola et les deux fils de Guy, Antoine, seize ans, et Benoît, huit ans. L'aîné lui plairait encore assez, mais comme il ne lui prête aucune attention, elle l'ignore avec une vigilance de chaque instant.

Quant au petit, il très mignon, très charmant, et Lola, ça l'amuse encore assez de jouer à la grande sœur pour le laisser tomber dès qu'elle a mieux à faire. Comme quoi ? Emmerder sa mère. Là, faut dire qu'elle s'en

77

donne à cœur joie, à cœur lourd, à cœur furax, Lola.

Ecoutez plutôt :

— Allô, Maminette, ça va ? Moi, pas. J'en peux plus là ! Elle me tue, Lola.

— Qu'est-ce qu'elle t'a encore fait ?

— Elle m'a répondu « fais chier » quand j'ai insisté pour qu'elle prenne au moins un verre de jus d'orange pour son petit déjeuner. Ça devient infernal, la façon dont elle m'envoie péter à la moindre réflexion.

— C'est de son âge, voyons, l'âge ingrat comme on disait de mon temps, l'âge des garçons et des jeunes filles en bourgeon, acné, gros genoux, cheveux gras et dos voûté. Remarque, pour les gamines, fini, tout ça. Elles sont en fleur à peine pubères. Curieux d'ailleurs. Comment ça se fait ?

— J'en sais rien, mais c'est vrai. Ton bébé, ta petite fille devient femme, une vraie gonzesse, du jour au lendemain à présent. Courtisée par les marques qui ne savent pas quoi inventer pour rafler le marché capricieux des 8-12 ans. Gloss, boucles d'oreilles, mascara, fringues hyper sexy, elles veulent toutes ressembler à leurs idoles, les Lorie, Jenifer, Mouna et autres Pop-stars ou Star-ac.

— Oui, j'ai lu plein de trucs là-dessus. C'est effarant. Ta Lola a tourné Lolita à quel âge, elle ?

— Tourné peste, tu veux dire. A peine

entrée au collège. Une petite garce en révolte ouverte contre ses parents. Contre moi dans le cas précis, vu qu'elle n'a pas connu son père. Et ça y va ! Je la saoule. Tout la saoule. Et elle me traite de pauvre conne, de pétasse, de tous les noms quoi...

— Faut voir aussi comment tu l'as élevée. C'était « oui » à tout, « non » à rien.

— C'est l'époque qui veut ça, voyons, Maminette. Les parents de ses copines sont largement aussi permissifs que moi. Je n'entends que ça d'ailleurs : « Charlotte, sa mère n'est pas toujours à l'emmerder pour qu'elle mette ses pots de yaourt vides à la poubelle et son linge sale à la machine. »

— Ne me dis pas que toi, tu te permets de le lui demander !

— Non... Enfin si, mais pas souvent. Ça la fout en boule à tous les coups. Déjà qu'elle n'arrête pas de me critiquer, de me rembarrer... Grotesque à mon âge ces cheveux teints, ces jeans moulants : « T'as l'air d'une pute ! » Insupportable, le fait d'avoir dû quitter le quartier où elle a grandi, son école et ses amies pour aller s'enterrer au diable vauvert avec ce vieux ringard et ses deux tarés : « Pas la peine de m'inscrire au lycée à la rentrée, j'irai pas. Je vais aller vivre chez Vanessa. Ses parents seront sûrement d'accord. »

Et Annie se laisse insulter, malmener, en essayant, pas facile, de s'abstenir de toute réaction. Suffirait d'un simple rappel à l'ordre – « Comment tu oses me parler sur ce ton ? » – ou d'un début de discussion – « Si tu retournes à Paris, c'est Antoine qui sera content : il va hériter de ta mob » – pour que Lola voie rouge et grimpe aux rideaux en poussant les hauts cris. Et, bon, déjà que Benoît, le petit de huit ans, lui pompe l'air, Annie n'a pas de créneau pour une grande fille en pleine crise d'adolescence.

Et avec Guy, ça se passe comment ? Pas terrible. D'autant plus mal que, au fond, Lola le trouve encore assez séduisant, sympa même, mais qu'elle crèverait plutôt que de l'admettre. Pas question de faire ce plaisir à sa mère.

D'ailleurs Guy ne s'y trompe pas : « Si elle est aussi agressive avec moi, c'est parce que je lui plais, je le sens bien. Allez, t'en fais pas, ça lui passera comme ça lui est venu. Mais, en attendant, tu devrais essayer de ne pas me sauter à la gueule quand, par hasard, je lui demande de ramasser son blouson et de le ranger dans le placard de l'entrée. – Oui, je sais, je devrais pas, mais je ne peux pas m'en empêcher. J'ai peur qu'elle se sente mal aimée, moins aimée que tes fils, toujours. — N'importe quoi ! Comme si tu te sentais mal aimée parce que je te fais remarquer que ta trousse de pédicure n'a rien à faire sur notre lit ! – C'est pas pareil, voyons, chéri ! Je ne suis pas ta belle-fille, moi. »

Là-dessus, coup de téléphone de la crevette.

— Tu sais quoi, Maminette ? Je suis enceinte.

— Mais c'est génial ! Et de combien ?

— Trois semaines.

— Il est content quand même, Alain, non ?

— Il n'en sait rien et il ne risque pas de l'apprendre. On a rompu.

— Rompu rompu ?

— Tout ce qu'il y a de plus, oui. Même qu'il a laissé les clés de l'appart sur la table de l'entrée avant de se tirer.

— Ça alors ! Et c'est arrivé quand ?

— Vendredi soir.

— Et c'est hier que tu as appris pour le bébé, son bébé ? Enfin, Carole, ça va pas la tête ! Qu'est-ce que tu attends pour l'appeler ?

— Pas la peine, c'est justement à cause de ça qu'il s'est cassé.

— A cause du bébé ? Il le savait alors ?

— Non, pas à cause de celui-ci en particulier, mais ça faisait des mois que je le tannais pour qu'il m'en fasse un.

— Tu m'avais pourtant promis de ne pas lui en parler avant...

— Je sais, oui, mais je n'ai pas tenu. Ça a été plus fort que moi. De toute façon avec lui ça n'aurait jamais été le moment. En fait, il n'en voulait ni cru ni cuit. C'est d'ailleurs pour ça que sa femme l'a quitté, figure-toi. Elle ne supportait pas l'idée de ne pas en avoir. Et comme ce coup-là, j'ai vraiment insisté – faut dire, avant même le test de grossesse, je m'en doutais un peu –, il a dû sentir passer le vent du boulet et il est parti en courant.

— Quelle histoire ! C'est vraiment mal tombé, dis donc. Mais, bon, la grande maison, le chien, les deux enfants, il te les fallait absolument, là ça t'en fait déjà un, non ?

— Attends ! Ce bébé, je le voulais avec Alain. Je ne vais quand même pas le faire toute seule !

— Pourquoi pas ? T'as un bon boulot, un nouvel appart, tu as Tess, Nouch et moi, c'est hyper-important, les copines, dans ces cas-là. Qu'est-ce que tu peux demander de plus ?

— Un papa.

— Oui, ben ça, le papa, deux fois sur trois,

c'est du provisoire là, maintenant, tu connais les statistiques. Alors, tant qu'à faire... Et puis rien ne dit que tu ne lui trouveras pas un père de remplacement. Regarde Annie. Max ne convenait plus, elle a pris Guy. Du coup, Lola va toucher deux demi-frères en prime.

— Oui, mais, bon, déjà qu'à trente-trois ans, j'en suis encore à rêver du Prince charmant, c'est pas en me coltinant l'enfant d'un autre que j'ai une chance de le trouver.

— En attendant, ce gamin, tu l'auras et, crois-moi, c'est toujours ça de pris. En plus, je ne vois pas pourquoi une mère célibataire épanouie attirerait moins les hommes qu'une nana rendue hystérique par le tic-tac de son horloge biologique.

— Oui, ben, de ce côté-là, moi, ça va. J'ai encore le temps de voir venir.

— Venir qui ? Venir quoi ? Encore et toujours du passage ? Regarde autour de toi. T'en connais beaucoup des filles de ton âge qui se sont dégoté un père potentiel prêt à s'engager pour une durée indéterminée ? Des mômes, dans la plupart des cas, ils en ont déjà un week-end sur deux. Pension alimentaire à la clé. Et ils n'ont aucune envie de remettre ça.

— Je sais bien, mais...

— Il n'y a pas de « mais ». Crois-moi, si tu le supprimes, ce bébé, tu vas le regretter jusqu'à la fin de tes jours. T'en as parlé à Tess, qu'est-ce qu'elle en dit ?

— Devine ! Vu ses problèmes avec Boris,

et même sans, elle dit « IVG » bien sûr. Elle dit « réussite ». Elle dit « pouvoir ». Elle dit « les mecs tu t'en tapes et les mômes tu t'en passes », quitte à en adopter un sur le tard.

— Oui, mais, bon, ça, c'est pas ton truc.

— C'est quoi, mon truc, d'après toi ? Un biberon, un rot, un change toutes les trois heures, les coliques du nouveau-né, les premières dents, sans parler des sorties d'école, de la varicelle et de la baby-sitter qui oublie de venir bosser ? A deux, oui, cent fois oui, mais en solo, merci bien, non merci.

— Ecoute, ma crevette, s'agirait de savoir ce que tu veux. Quand t'as l'homme, c'est un bébé, et quand t'as le bébé, c'est un homme.

— Ça va avec, non ?

— Autrefois, oui. Mais à notre époque, la tendance est au dépareillé.

Pour en revenir à Benoît, un bon petit diable de bientôt huit ans, brun aux yeux bleus, taquin, mignon, eh bien, Annie s'en arrange très mal.

— Enfin, Nouch, je ne comprends pas. Qu'est-ce que tu lui reproches ?

— D'être un garçon.

— Et alors ? Pour la mère juive que je suis, un garçon, c'est une bénédiction. Moi, j'en ai eu trois et je n'en suis pas peu fière. Une petite fille c'est bien aussi, évidemment, mais bon, c'est pas pareil.

— C'est cent fois mieux, tu veux dire ! C'est doux, c'est gentil, c'est câlin, c'est malléable, un prolongement de toi... Jusqu'à un certain âge évidemment.

— C'est très souvent agaçant, voyons ! Même élevée par une féministe à tout crin, à peine ça tient debout que ça minaude, ça joue à la petite vamp, ça ondule de la couche-culotte devant le premier pantalon venu, après quoi, c'est même pas sorti du CM1 que ça fait sa Lolita et que ça se balade nombril à l'air et jupe ras le bonbon.

— Peut-être, mais alors un garçon, je vois Benoît, tu ne sais pas par quel bout le prendre, ça grimpe aux rideaux, c'est désordre, agité, bruyant, bagarreur, genoux ouverts et poings fermés... C'est con, quoi ! C'est d'ailleurs bien pour ça que plus personne n'en veut.

— Qu'est-ce que tu racontes ?

— Tu n'étais pas au courant ? Il y a eu plein d'articles là-dessus. La fille c'est top branché et le garçon complètement dépassé. Même les pères paniquent à l'idée de devoir se coltiner plus tard un ado abruti, fou de foot ou de rugby.

— Enfin, Annette, c'est vraiment n'importe quoi ! A la puberté, la fille peut tourner mégère ingérable... Tu en sais quelque chose ! Et le garçon virer écolo pacifiste. Et puis quand Benoît vous fera sa crise d'opposition, c'est surtout contre son père qu'il en aura.

— N'empêche, ta fille, tu la gardes. Et ton garçon, tu le perds, c'est bien connu. Lola m'en fait baver, c'est vrai. Mais elle finira bien par me revenir, et ce sera pour la vie. Tandis que toi, tes fils se sont éloignés, entraînés par leurs femmes côté belles-mères.

— Pas du tout. Ils sont quand même restés assez présents. Moins qu'une fille, c'est vrai, mais, bon, en attendant, il est plutôt craquant, Benoît, non ?

— Il est épuisant, oui, toujours à rouscailler, à réclamer.

— Quoi, par exemple ?

— Son goûter, là, maintenant, tout de suite. Sa chaussette tombée derrière son lit et qu'il n'arrive pas à retrouver le matin en s'habillant, déjà qu'il est en retard pour l'école. Son short dont il s'avise au moment d'aller se coucher qu'il est tout déchiré et qu'il lui en faut impérativement un neuf pour son cours de gym le lendemain. Comme si j'avais le temps d'aller lui en acheter un avant mon premier rendez-vous à 8 heures du matin.

— Bien sûr que non, mon pauvre chat ! Mais où est le problème ? Tu le lui dis. Tu ajoutes qu'il aurait pu y penser plus tôt. Tu précises qu'il n'est pas question de lui donner un mot d'excuse et qu'il devra ou mettre son vieux short ou s'expliquer avec son prof. Ça lui servira de leçon, crois-moi.

— Tu as sûrement raison, mais je ne me vois pas la lui donner. Je ne suis pas sa mère, oublie pas.

Pas évident, c'est vrai, ces histoires de familles recomposées. Quand j'ai fondé la mienne, une des premières, c'était il y a près de quarante ans, je réagissais comme Annie. En mille fois pire. J'ai eu beaucoup de mal à accepter que mon nouveau mari traite mes gamins comme si c'étaient les siens. Il en avait deux, deux grands ados, d'un premier lit. Et il se comportait exactement de la même façon avec mes petits garçons, ne se gênant pas pour les rabrouer, les rappeler à l'ordre ou leur crier dessus quand il le jugeait bon. Et c'était souvent !

Moi, ça me rendait malade. A la moindre jappée, devant mes garçons visiblement décontenancés, vexés, blessés, au bord des larmes, je me dressais, toutes griffes dehors, je me jetais, comme une lionne en furie, à la défense de mes petits. Déjà que je culpabilisais à mort rapport à mon divorce d'avec leur père, et à mon travail, encore très mal vus à l'époque pour une mère de famille, je paniquais à l'idée que mes deux gamins, apparemment pas encore trop perturbés, puissent atterrir sur le divan d'un psy.

Autres temps, autres mœurs. Vous ne pouvez pas imaginer à quel point les mentalités et les valeurs morales ont évolué depuis. Un exemple ? Tenez, un jour que je passais devant la chambre des enfants, j'ai entendu des éclats de voix : « Maman te donne l'argent du métro et tu achètes un carnet ! Enfin, qu'est-ce qui t'a pris ? T'es tombé sur la tête ou quoi ? » J'entre, stupéfaite :

— Mais qu'est-ce qu'il pouvait faire d'autre, tu peux me dire ?

— Je ne sais pas, moi, nous payer des Nuts ou des Coca.

— Et comment vous auriez fait pour prendre le métro ?

— Enfin, maman, réfléchis ! Le métro, nous, on le prend à l'œil, normal ! On se plante à l'entrée devant le tourniquet et on arrête les passants : « Pardon, monsieur, pardon, madame, vous pourriez pas nous donner deux tickets, s'il vous plaît ? Nos parents sont divorcés, maman s'est remariée, en plus elle travaille, on la voit jamais, et ce matin elle a encore oublié de nous laisser l'argent sur la table de l'entrée. »

Et devant ces deux angelots aux grands

yeux innocents, les voyageurs horrifiés – « Si c'est pas malheureux quand même ! » – mettaient la main à la poche et leur refilaient tout le carnet.

Même attitude de la part des différentes maîtresses d'école qui me convoquaient à temps réguliers pour me mettre le nez dans mon caca. Si mes mômes étaient chahuteurs, cossards et nuls en tout, la faute à qui ? A quoi ? « Vous le savez aussi bien que moi, pas vrai, madame ? Alors, sauf à changer de mode de vie... »

Moi, j'aurais bien voulu, mais le moyen ? Question divorce, impossible de revenir en arrière. Renoncer à mon boulot, un boulot de plus en plus gratifiant, franchement, ça m'aurait arraché le cœur. Tout ce que je pouvais faire, c'était obliger mon mari à traiter mes deux garnements comme s'il s'était agi de bibelots en porcelaine. J'ai essayé. Il l'a mal pris. D'où des bouderies, des disputes et des scènes de rupture qui ont bien failli régler le problème en le poussant à ficher le camp. Il allait passer deux, trois nuits à l'hôtel histoire de décompresser. Il revenait et ça recommençait.

Jusqu'au jour où j'ai fini par comprendre son attitude et par l'accepter. S'il se permettait de les engueuler comme ça, dans son esprit c'était pour leur bien. Loin d'éprouver la moindre hostilité à leur égard, il se contentait de jouer, sans aucune arrière-pensée, son rôle de père. Un père à l'ancienne : 1968 n'était pas encore passé par là. Mais un rôle usurpé, les psys nous l'ont expliqué depuis, vu qu'un père, mes enfants en avaient un, très présent et très critique, au demeurant, de la façon dont nous les élevions. Mais, à l'époque, on ne voyait aucun inconvénient à ce qu'ils en aient deux. Deux papas et deux mamans, le cadet s'en arrangeait très bien. L'aîné beaucoup moins.

Moi, j'attribuais ça à leur caractère. L'un, joyeux, l'autre, anxieux. Sans songer que ça pouvait provenir d'une situation en porte-à-faux, mal gérée par nous, les adultes. Honnêtement, à la lumière de ce que j'ai appris sur la conduite à tenir vis-à-vis de ses beaux-enfants, une conduite à la fois attentive et distanciée, très délicate, très difficile à observer au jour le jour, je me demande si, sans l'arrivée d'un bébé autour duquel s'est tout naturellement recomposée ma famille, j'aurais osé me risquer à en fonder une. Et je l'aurais bien regretté, croyez-moi. Elle est tout ce que j'aime, tout ce que je pouvais attendre d'une vie compliquée, certes, mais tellement riche, tellement valorisante, pleine à ras bord de soucis et de joies partagés.

Guy et Anouchka, eux, ne peuvent pas, ne peuvent plus y aller à l'instinct. Ils sont tenus d'appliquer les nouvelles règles du jeu, un jeu de patience et de retenue dont tous les magazines féminins nous rappellent implacablement le principe fondamental : n'occupez sous aucun prétexte la place réservée au parent d'origine. Même s'il s'est installé à Katmandou ou si, à l'exemple de l'ex-femme de Guy, il ne se manifeste qu'à l'occasion des fêtes de Noël.

Vous me direz, du côté de Nouch, il ne devrait pas y avoir de problème. Avec Benoît, elle se tient à carreau, et, sa fille étant née de père inconnu, au pire, Guy ne prendrait jamais que la place d'un absent. Exact. Sauf qu'au moindre mot, Lola, de plus en plus rebelle à toute forme d'autorité, même la plus anodine, en profite pour piquer sa crise : « Qui vous êtes, vous, d'abord, pour me dire de ramasser mon blouson ? Rien que le copain de ma mère ! Alors, foutez-moi la paix. » Avantage supplémentaire : crucifier sa mère en lui explosant son rêve d'une famille élargie, certes, mais tendrement unie dans la tolérance et l'harmonie.

On est en train de se faire un dîner de filles, là, les enfants. Ça n'était pas arrivé depuis un bon moment. Plongées dans leurs histoires de famille, de cœur et de cul, elles n'avaient plus une minute à elles, mes copines. Et puis, bon, Boris a foncé en Bretagne voir son grand-père qu'il adore et qui est au plus mal, oui, un cancer en phase terminale. Guy passe le week-end à l'hôpital, Lola chez son amie Vanessa, et la mère des garçons a enfin consenti – ô miracle ! – à leur payer une soirée MacDo-ciné. Quant à Carole, depuis qu'elle a décidé de garder son bébé, elle ne rate pas une occasion d'exhiber son petit ventre rond sous nos yeux agacés (Tess) ou attendris (Nouch et moi).

— Non, mais regarde-la, Maminette, elle nous la joue « Vierge à l'enfant ». T'es ridicule, je vais te dire, Carole, avec ta main posée sur le bide et ton regard tourné vers l'intérieur : « Qui c'est qu'est là ? C'est le petit Jésus à sa maman, ça, pas vrai, madame ? »

— Fous-lui la paix, Tess, tu veux ? Il ne te réussit pas, dis donc, ton Boris. T'es devenue d'un acerbe, d'un agressif ! Tu tournes au vinaigre, ma parole !

— Pas du tout, mais bon, c'est ma petite sœur et je me fais du souci, normal, non ? Là, pour le moment, tout baigne, mais quand elle va le cracher, son lardon, qu'est-ce qui va se passer ? Qui va s'en occuper ? Sûrement pas toi.

— Qu'est-ce que tu en sais ? Moi, je viendrais volontiers faire du baby-sitting de temps en temps. Pas toi, Anouchka ?

— Alors, là, franchement, je sais pas... Mais, de toute façon, faudra bien trouver une solution le moment venu. On ne va quand même pas lui gâcher sa grossesse en se prenant la tête à l'avance...

— Quand vous aurez fini de parler de moi, comme si j'étais pas là. Ou alors plongée dans un coma profond avec vous à mon chevet en train de discutailler sur l'avenir de ce futur orphelin.

— Jamais de la vie, voyons, sœurette. Mais bon, c'est vrai que...

— Ce qui est vrai, c'est qu'à te voir paniquer à ce point, Tess, j'en arrive à me demander si j'aurais pas dû le faire passer. J'en voulais pas, moi, au départ. C'est toi, Maminette, qui as fini par me convaincre... Toi aussi, Annette.

— Moi ? Non, mais ça va pas ! Je sais trop ce que ça m'a coûté d'avoir Lola.

— Attends, c'est une merveille, ta fille, Anouchka, un peu pénible, c'est vrai, mais ça lui passera. D'ailleurs, je crois savoir quand et comment.

— Tu plaisantes ou quoi, Maminette, pardon, Madame Irma ?

— Non, non, j'ai la solution... Enfin, j'espère.

— Et c'est quoi ?

— Lui céder ta place. Si, si, je t'assure, ça pourrait marcher.

— Comment ça ?

— Je t'invite à Megève le mois prochain avec Carole, ça lui fera le plus grand bien. Et avant de partir, tu demandes à Guy de charger

94

Lola – très gentiment, tu vois, d'égal à égal – de faire tourner la maison et de s'occuper un peu des garçons pendant qu'il opère.

— Et ça donnera quoi ?

— Ça lui permettra de repartir du bon pied avec Guy. Le pied de la complicité. Comprends-moi, son problème, c'est pas lui, c'est toi. Et il a raison quand il te dit qu'elle l'a plutôt à la bonne, mais qu'elle ne veut surtout pas te faire le plaisir de le montrer. Là, elle le fera, trop contente. Qu'est-ce que tu en penses, Carole ?

— C'est assez bien vu, oui. Mais qu'est-ce qui te dit qu'elle ne va pas se remettre à lui bouffer le nez dès qu'Annie sera rentrée ? Rien que pour l'emmerder ?

— Possible, pas certain. Suffirait qu'à ton retour Guy ne tarisse pas d'éloges sur la façon dont elle s'est acquittée de sa tâche. Et que toi, tu en rajoutes. Que tu sois pleine d'admiration et de reconnaissance. « Benoît ne jure plus que par toi. Il t'a réclamée quand je suis montée lui faire un câlin hier soir. Tu sais beaucoup mieux que moi comment t'y prendre avec lui. Si seulement tu pouvais continuer à t'en occuper un peu. »

— Lola va m'envoyer péter, trop contente : « Et puis quoi encore ? La belle-mère, c'est toi. Compte pas sur moi pour faire ton boulot. »

— Pas sûr. Elle va se sentir appréciée, valorisée. Et responsable, indispensable même. Ça va lui permettre de se réconcilier avec son sort, de sortir la tête haute de ce rôle ingrat d'adolescente en fureur parce qu'elle se croit mal comprise et mal aimée. Non, crois-moi, ça vaut la peine d'essayer.

— Attends, Tess, tu vas quand même pas allumer une cigarette devant moi !

— Et pourquoi pas ?

— C'est très mauvais pour lui, tu sais bien.

— Qui ça, lui ?

— Ben, le bébé.

— Fais chier, écoute, avec ton putain de fœtus !

— Tess ! Qu'est-ce qui te prend ? T'es malade ou quoi ?

— Mais oui, voyons, Maminette, malade de jalousie. Ça fait une heure qu'on est là et il n'a été question que de Carole ou de moi. Madame voudrait qu'on s'occupe un peu d'elle.

— Si ce n'est que ça, allons-y ! Alors, ma petite Tess, comment se passe ta grossesse ? T'as pas de nausée au moins ?

— Jusqu'à présent j'en avais pas, mais si tu continues comme ça, Maminette, je sens que je vais dégobiller dans ton assiette.

— Allô, Maminette ? C'est Carole. T'as une seconde là... Ecoute, je suis dans la merde, Alain est revenu.

— Dans la merde ! Non mais, ça va pas ? C'est une chance extraordinaire, un grand bonheur, au contraire. Comment c'est arrivé ? Et quand ?

— Samedi dernier. Il m'a appelée en fin d'après-midi, il m'a dit qu'il voulait me parler, je l'ai envoyé péter, il a insisté, j'ai raccroché, il est arrivé avec un superbe bouquet de fleurs des champs, un magnum de champagne, de quoi faire la dînette, et bon... Voilà.

— Ce que je suis contente pour toi, ma chérie, tu peux pas savoir.

— Vrai... Vrai... Vraiment ?

— Ben, évidemment... Tu pleures ? Enfin, Carole, qu'est-ce qu'il y a ? C'est quoi le problème ?

— C'est Tess.

— Tess ? Non mais, de quoi je me mêle ?

— C'est ma sœur quand même, et elle se sentait responsable de moi, du bébé, tu sais bien.

— Attends, elle n'arrêtait pas de te charrier, de t'engueuler, de te donner des regrets, de te foutre la pétoche en pensant à l'avenir. Ça doit la rassurer la présence d'Alain à tes côtés, là, maintenant, non ?

— Non, justement, ça la rend malade. Elle m'affirme que s'il est revenu c'est uniquement à cause du... du... du... qu'en-dira-t-on.

— Arrête de pleurer, voyons, ma crevette, je ne comprends pas. Qui dira quoi ? Où ?

— Les collègues. Au bureau. Ils l'accuseront de m'avoir laissée tomber. Et elle dit... Elle dit... Elle...

— Calme-toi, ma chérie, je t'en prie...

— Je peux pas, c'est trop terrible... Excuse-moi, je te rappelle...

— Allô, Tess ? C'est Maminette. Je viens d'avoir Carole au téléphone. Elle est hors d'elle. Qu'est-ce que tu lui as encore sorti ?

— La vérité. Déjà qu'elle n'aurait jamais dû garder le lardon, elle ne va pas en plus se mettre ce salaud d'Alain sur le dos. C'est pas par amour qu'il a rappliqué, c'est par arrivisme.

— Comment tu le sais ?

— C'est clair, non ? Il n'aurait pas attendu cinq mois pour se manifester s'il n'y avait pas une bonne raison, sa promotion à la tête de Sélectour Champs-Elysées ou un truc de ce genre.

— Enfin, Tess, c'est n'importe quoi ! Il ne savait pas qu'elle était enceinte, Carole, quand il s'est tiré ! Et elle ne le lui a pas dit depuis, tu le sais très bien !

— Il aurait pu s'en douter.

— Comment ? Lui bosse dans le Marais, elle à Opéra, et ils ne se sont jamais revus. S'il l'a appris, c'est par des bruits de couloir, forcément.

— C'est ce que je lui reproche. S'il avait l'ombre d'un sentiment pour elle, il se serait manifesté, il aurait pris de ses nouvelles — c'était quand même la moindre des choses –, et, le sentant encore proche, présent, elle le lui aurait dit, forcément. Mais non, Monsieur disparaît, il ne donne plus signe de vie, et, un beau soir, le voilà qui se pointe la bouche en cœur, va savoir pourquoi.

— Parce qu'il est ému, bouleversé à l'idée qu'elle attend un enfant de lui et qu'il...

— Voyons, Maminette, il ne voulait pas en entendre parler. C'est même pour ça qu'il est parti, pour pas se faire piéger.

— Ça n'empêche pas que, mis devant le fait accompli, il ait pu se dire que...

— Qu'il n'avait plus tellement le choix, ça

oui. S'il s'était obstiné dans son refus de paternité, si par sa faute Carole avait promené dans l'entreprise son gros ventre de fille mère abandonnée par un collègue, il ne risquait pas de se faire bien voir par sa hiérarchie, je te garantis.

— Possible, pas certain. Il vient de décrocher l'agence du Marais, pourquoi est-ce qu'on irait le nommer ailleurs ? En plus ce sont des retournements qui arrivent plus souvent qu'on ne le croit. C'est lié à la curiosité, au sens des responsabilités, à la peur de passer à côté d'une expérience formidablement enrichissante, crois-moi.

— Puisque tu le dis ! Chacun son truc.

— Ben, justement ! Carole, son truc c'est ça, en plein ! Toi, qui as toujours eu ce que tu voulais, tu ne peux pas lui demander de flanquer ce garçon à la porte sur un vague soupçon. Quitte à s'en rendre malade de regret, de chagrin. Elle sanglotait, elle hoquetait au téléphone, la pauvre chérie, tellement qu'elle a dû raccrocher.

— Bon, alors, qu'est-ce que je fais ?

— Tu fais comme si de rien n'était et tu nous invites à dîner ce soir au bistro en bas de chez toi. Avec Alain, bien sûr... Ah, oui, mais, il y a Boris... Où tu en es de ce côté-là ?

— Nulle part. Il est toujours en Bretagne.

— Normal, écoute, son grand-père est mourant.

— Non, je regrette, il est mort et enterré.

— Il ne va pas tarder à rentrer, Boris, alors.

— Il n'en prend pas le chemin, je vais te dire. Il parle même de s'installer dans une petite maison à louer au bord de la mer pour écrire.

— Sérieusement ?

— Tout ce qu'il y a de plus.

— Et toi, qu'est-ce que tu en dis ?

— Rien. Je ne vais pas tout lâcher pour passer le reste de ma vie à contempler les mouettes du haut d'une falaise. Et même si je le pouvais, je ne suis pas sûre d'en avoir encore envie. Je suis furieuse après lui, folle furieuse. Il m'en aura vraiment fait voir, ce sale petit con, il...

— Attends, il y a mon portable qui... Allô ? Ah ! C'est toi, Carole ? J'ai Tess sur une autre ligne... Ne quitte pas... Elle demande si vous seriez libres à dîner avec nous, Alain et toi ?... Oui ? Elle sera ravie. Bon, alors, à tout à l'heure, ma crevette à moi. Je t'embrasse... Allô, Tess ? C'est arrangé. Maintenant à toi de jouer.

Dites voir, les enfants, je suis prise de remords, là, tout à coup. Et si Tess avait raison, si ce garçon n'était revenu que pour sacrifier à un plan de carrière ? Je n'aurais peut-être pas dû la caresser dans le sens du poil, ma crevette, en me réjouissant avec elle de son retour, quitte à provoquer plus tard de nouvelles déceptions, encore plus cruelles, celles-là. Non, c'est vrai, de quoi je me mêle ? Je sais tout mieux que tout le monde ! Faut toujours que j'y aille d'une mise en garde ou d'un conseil !

Remarquez, à sa place, j'aurais fait pareil. Si le père de mon bébé m'avait demandé de le reprendre, je n'aurais jamais eu le courage de le mettre à la porte. Et après avoir un peu grogné (« Tu es parti comme un voleur et tu as le culot de revenir avec un petit bouquet de fleurs »), je lui aurais laissé, trop contente, une chance de se racheter en prenant – pas évident ! – des responsabilités dont il ne voulait à aucun prix !

Oui, mais, bon, de mon temps, les filles mères, comme on les appelait à l'époque, ne l'étaient jamais de leur propre chef, par choix, par goût, par désir d'assumer seules leur maternité sans avoir de comptes à rendre à personne. En toute liberté et en toute indépendance financière. Ce qui est de plus en plus souvent le cas aujourd'hui. Sauf que Carole, elle, est restée très attachée aux anciens modèles et que, pour le moment, sa seule chance de réaliser son rêve de famille nucléaire (parents, enfants, point barre), c'est encore Alain.

Plus j'avance en âge, plus je suis frappée par la constante remise en cause de conduites fidèlement reproduites de génération en génération, conduites que la vertigineuse évolution des mœurs et des mentalités au cours de ces trente dernières années a condamnées puis réhabilitées – ou le contraire – au gré des circonstances et des diktats des psys. Prenez le rôle du père. Il n'y a pas si longtemps encore, il devait se confondre avec celui de la mère. Il n'y en avait que pour les papas poules et les mamans coqs. A présent, virage sur l'aile, on revient au partage des rôles. Lui est prié de faire preuve de ferme autorité, elle d'indulgente tendresse.

Ou encore le droit revendiqué par les couples homosexuels d'adopter des enfants. C'était impensable au tournant du siècle dernier. En 2003, ça en prend doucement le chemin. Je pense aussi à l'enseignement à la Jules Ferry, pulvérisé par mai 68, sous prétexte de violence faite aux écoliers dont on s'accorde à reconnaître aujourd'hui, sans trop oser l'avouer, les bienfaits fondés sur la répétition, les exercices de mémoire et le respect de la chronologie.

Je vous entends d'ici : où tu vas là ? Ça rime à quoi, ces considérations vaseuses sur le cours des valeurs à la bourse de la vie en société ? Ben, tiens, à justifier mon côté donneuse de leçons. Mais si ! En l'absence de règles établies, ma longue expérience n'est pas de trop pour vous aider à trouver le chemin du bonheur, puisque, aussi bien, à défaut d'espérer le trouver dans l'au-delà – le paradis plus personne n'y croit – on n'aspire plus qu'à ça, moi la première : être heureux, là, maintenant, tout de suite, et plus vite que ça !

Profitant de l'absence d'Alain, parti pour la Guadeloupe inspecter un nouveau club de vacances, on est allées pique-niquer un soir chez Carole. Chacune amenait de quoi dîner. Tess, les entrées et le dessert. Nouch, le plat principal. Et moi, la poivrote de service, de quoi boire. Bien et beaucoup. On dépose nos emplettes sur la table de la cuisine, on s'installe autour et on commence par ouvrir une bouteille de champagne, histoire de buller un peu avant de passer aux choses sérieuses.

Tess, elle, réclame du Perrier. Peu avant d'aller jouer à l'écrivain-ermite au bord d'une crique désolée, Boris lui a sorti un truc du genre : « Tiens, mais, tu commences à avoir du bide, dis donc ! Remarque, j'aime bien, c'est plutôt bandant. » Et ça a suffi pour qu'elle décide de perdre trois kilos. Sur cinquante-cinq pour 1,70 mètre ! Du coup, elle tord le nez en apprenant que Caro qui n'en boit jamais n'a pas pensé à en acheter, désolée : « Tu veux du Coca ? Non, pas light, normal.

— Sûrement pas. »

J'essaye de la raisonner :

— Allez, Tess, prends donc une coupette, ça n'a jamais fait grossir personne, au contraire.

Visiblement de mauvais poil, elle refuse et commence à ouvrir nos paquets. Je propose, déjà toute guillerette, une seconde tournée, quand on entend un rugissement indigné :

— C'est quoi, Annie, dans le Tuperware, ce ragoût hyper gras et ces patates ? Comment veux-tu qu'on mange ça ?

Inquiète, je meurs de faim et, devant cet accès de fièvre amaigrissante, j'ouvre les barquettes qu'elle a apportées. C'est encore pire que ce que je craignais : carottes râpées, radis, taboulé et branches de céleri. Et, pour finir : huit petites tranches d'ananas coupées au rasoir.

— Et ça, c'est quoi, Tess ? Un menu régime minceur ? Je croyais qu'on était là pour faire la fête !

— Qu'est-ce que tu espérais ? Du saumon et du foie gras peut-être ?

— Par exemple, oui. Et une grosse glace au chocolat-whisky. Tu as un Berthillon en bas de chez toi, tu aurais quand même pu...

106

— Attends, Maminette, c'est pas parce que, à ton âge, on n'a plus de ligne qu'il faut nous interdire de penser à la nôtre.

— Comment tu peux lui dire ça, Tess ? Elle est géniale, Maminette, drôlement bien conservée.

— Ouais, enfin, n'exagérons pas ! Dans l'alcool, en tout cas, là, t'as raison, ma Nouche. Bon, alors, qu'est-ce qu'on fait ? C'est pas parce que M'dame Folledingue espère retrouver un ventre plat qu'on doit repartir le ventre creux, nous autres, pas vrai, les filles ?

Là-dessus, Tess plonge dans son sac, sort son porte-billets, le jette sur la table et lance, furax :

— Tiens, Carole, va donc acheter de quoi vous empiffrer chez ton petit Arabe.

On s'est regardées, interdites, sidérées devant tant d'agressivité hargneuse, déplacée. C'est pas son genre. Et d'un commun accord on a préféré l'ignorer. Caro est allée ouvrir des boîtes de thon à la provençale et de sardines à l'huile d'olive, touillées avec du pain, un régal. Après quoi on a fait un sort au bœuf bourguignon mitonné par Anouchka, le tout arrosé d'un bon saint-émilion. Tess, elle, allumait cigarette sur cigarette qu'elle écrasait, d'un geste rageur, dans son assiette vide.

— Tu ne veux vraiment rien manger ? Remarque, il ne reste pas grand-chose... Si, tes radis. On s'est fait une de ces bouffes...

Géniale ! Rien de tel pour vous remonter le moral.

— Qu'est-ce que tu insinues là, Maminette ? Que le mien est au plus bas ?

— Oui et il y a de quoi. Se faire traiter de grosse dondon par son petit mec, c'est...

— D'abord, il n'est pas petit, il est grand, il est...

— Il est beau, il est costaud et je l'ai-ai-me ! Allez, Tess, ressaisis-toi. Tu ne vas quand même pas nous faire la gueule toute la soirée parce que Boris s'est mis en tête de décrocher le prix Nobel de littérature. Tiens, bois un coup, ça te fera du bien.

Elle m'a tendu son verre avec un pauvre petit sourire mal résigné, encore un peu renfrogné. Je lui en ai servi plusieurs. Et là, elle s'est lâchée. Elle en avait marre. Marre de quoi ? Marre de devoir lutter sans relâche, ça exigeait une surveillance, une discipline de chaque instant, contre l'âge, la fatigue, les kilos en trop, l'amour qui se dérobe et le risque de perdre sa place au soleil de la réussite au profit d'une jeune louve aux dents longues, acérées, tapie, aux aguets, dans les obscurs sentiers du pouvoir. A l'image de ce qu'elle était elle-même au départ.

C'était pas dit comme ça, bien sûr, elle ne parle pas comme dans un livre, Tess, mais, toute honte bue, elle s'est livrée, ça ne lui était encore jamais arrivé, avec une franchise, *in vino veritas*, une lucidité désespérées. Bizarrement, au lieu d'essayer de la consoler, de la raisonner, on s'est laissé prendre à ce jeu de la vérité, et, le pinard aidant, on s'est lancées à notre tour dans un larmoyant, un interminable concert des lamentations : « Et moi, qu'est-ce que je dirais... Si tu savais ce que ça peut être compliqué, une famille recomposée »... « Et moi, si tu pouvais seulement imaginer ce que c'est que de douter des sentiments d'Alain »... « Et moi, si je vous racontais mes misères, mes pertes de mémoire, ma fatigue, mon ras-le-bol »... « Et moi »... « Et moi »... « Et moi » !

Tess s'est ressaisie la première :

— Ça, pour remonter le moral, elle se pose un peu là, ta grande bouffe, dis donc, Maminette.

— Mais si, mais si ! Maintenant qu'on a touché le fond, un bon coup de pied et on va rebondir vidées, lavées de toutes nos merdes, jusqu'à atteindre les étoiles.

— Ouais, ben, faudra s'y accrocher ferme pour pas retomber de tout notre haut au prochain coup de blues.

— Bon, alors, voilà ce qu'on décide : au lieu de pleurnicher seule dans son coin, la première à qui ça arrive rameute les trois autres et on se refait une bonne petite séance d'autoflagellation. On se laisse aller, on vide nos sacs, on s'apitoie à grosses larmes sur notre sort, bref, on broie du noir en buvant du rouge jusqu'à plus soif. D'accord ?

Alors, Tess, telle qu'en elle-même, enfin :

— D'accord, mais faudra que vous y mettiez le paquet, parce que je tiens à être encore la moins à plaindre, OK ?

Peu après notre retour de Megève, j'ai emmené Benoît et Lola (elle a tenu à nous accompagner) au zoo de Vincennes, histoire de vérifier par moi-même si l'absence de sa mère avait porté ses fruits.

— Benoît ! Benoît ! Arrête ! Si tu continues, tu vas tomber dans la fosse aux lions. Benoît ! Lola, fais quelque chose !

— Vous inquiétez pas, Maminette, il est bien trop trouillard pour... Ben, descends de là tout de suite !

— L'appelle pas Ben, voyons ! C'est terrible, cette manie des diminutifs que vous avez, vous, les jeunes. Vous défigurez les plus beaux prénoms.

— OK, Ben... Benoît ! descends, tu veux ?

— Il t'obéit au doigt et à l'œil, dis donc ! C'est fou ce qu'il est mignon, cet enfant, joli comme un cœur, vif, malicieux.

— Tu viens, Lola, je veux voir les singes.

— C'est là, tout près, tout droit, vas-y, on te rejoint. Oui, c'est vrai, il est plutôt sympa pour un gamin de huit ans.

— Ta maman m'a dit qu'à présent le petit ne jure plus que par toi.

— Et alors, ça la dérange ?

— Mais non, voyons ! Elle est ravie, au contraire. Paraît que tu sais mieux que personne comment s'y prendre avec lui. Elle, elle a du mal apparemment. Les petits garçons, c'est pas son truc.

— Attendez, c'est changé tout ça, elle vous a pas raconté ? L'autre jour, ils l'ont appelée de l'école, Benoît s'était ouvert le genou en tombant dans la cour de récré, et il attendait à l'infirmerie qu'on vienne le chercher. Elle saute dans sa voiture en laissant tout en plan... D'une humeur, je ne vous raconte pas.

— Inutile ! Je la vois, je l'entends râler d'ici.

— Elle débarque comme une furie. Et elle fond littéralement devant cette petite pute de Ben barbouillé de larmes, le genou bandé, qui lui tend les bras : « Tu m'emmènes, dis ? Je veux rentrer à la maison avec toi. »

— Alors, ça colle mieux entre eux ? Eh bien, tant mieux. En tout cas, maman le trouve très changé depuis quelque temps. En bien. Plus détendu, plus épanoui, grâce à toi.

— Ouais, peut-être. N'empêche, j'ai encore beaucoup de mal avec lui. Guy l'a gâté, pourri. Et maman, il en fait ce qu'il veut, là, maintenant. Alors, évidemment, moi, là-dedans...

— Tu joues un rôle déterminant, crois-moi.

— Qu'est-ce que vous en savez ?

— Ce que m'en ont appris mes propres enfants. Prends le dernier. Ça n'est ni son père ni moi qui l'avons élevé. C'est un de ses frères, de six ans son aîné. Il s'en est énormément occupé. Avec tendresse, avec humour, avec juste ce qu'il faut d'indulgence et de sévérité. Ça les a liés pour la vie. Et c'est comme ça dans la plupart des fratries. A propos, où tu en es avec Antoine ?

— Quoi, Antoine ?

— Tu t'entends bien avec lui ?

— On risque pas de s'entendre, on se parle pas.

— Tiens, donc ! Et pourquoi ?

— Parce qu'il est trop puant, ce mec-là, hyper crâneur, top méprisant... Non mais, qu'est-ce qu'il se croit ? C'est pas parce qu'il est plutôt pas mal et qu'il passe en terminale qu'il peut se permettre de me traiter comme de la merde !

— Alors, là, tu m'étonnes. Tu sais, pendant ces vacances à Megève avec Carole et ta mère, on a beaucoup parlé de vous, de toi,

113

des garçons... Et elle m'a dit qu'il t'avait plutôt à la bonne, Antoine.

— N'importe quoi ! Il peut pas me blairer.

— Tu te trompes complètement, je t'assure, Lola. Il te trouve assez marrante, bien roulée et pas trop conne pour une fille.

— Qu'est-ce qu'elle en sait d'abord ?

— Il le lui a dit bien sûr. Ils sont assez copains tous les deux et...

— Ben justement.

— Quoi, justement ? Tu ne vas quand même pas t'imaginer qu'il lui a dit ça pour lui faire plaisir. Il le pense, mais s'il ne le montre pas, c'est peut-être parce que tu ne lui en as jamais donné l'occasion.

— Qu'est-ce que vous voudriez que je fasse ? Que j'aille me planter devant lui, que je lève mon pull et que je batte des cils : « Alors, je te plais ? »

— Enfin, Lola ! C'est ton demi-frère !

— Pas du tout ! Il est rien pour moi. Et je peux pas le sacquer.

— Ce que tu peux être butée, ma petite fille. C'est pas croyable ! Suffirait que tu lui demandes de t'expliquer, d'un air très dégagé, tu vois, un truc en math, par exemple, pour engager la conversation. Je suis sûre qu'il ne demanderait pas mieux.

— Ça m'étonnerait.

— Essaye, tu verras bien.

— Ouais, ben c'est tout vu.

— Lola, je peux avoir une glace ?

— Ah, te voilà, Ben... Pardon, Benoît !
D'accord, Maminette ? On y va ?

— A condition que tu fasses ce que je te
dis. Allez, dis oui !

— Lola, Maminette, alors, cette glace ?

— Pas oui, peut-être. Vous n'avez pas
honte à votre âge de prendre un gamin en
otage ?

Alors, où elle en est là, Tess ? Boris, terminé ! Elle a eu le courage de s'en désintoxi-
quer. Dur, dur, au début, de ne pas repiquer
au truc en le suppliant de revenir, en courant,
ventre à terre, le rejoindre dans sa lande bre-
tonne. Mais, bon, elle a tenu le coup. Grâce
à quoi ? Un gros abcès de fixation sur la pro-
messe d'une promotion qu'on lui a finalement
refusée au bénéfice d'une chef de service plus
jeune, plus dynamique. Et grâce à qui ? Devi-
nez... A ses ex. C'est souvent à eux qu'on a
recours en cas de manque trop aigu. Un peu
comme on prend de la méthadone pour tromper son besoin d'héroïne.

D'habitude, ils répondent présent, trop
contents, au premier appel. Après quoi, faut
surtout pas les bassiner en pleurnichant sur
leur épaule – « Qu'est-ce que je vais devenir ? Je ne peux pas vivre sans lui » – mais
leur faire croire, au contraire, à un retour de
flamme – « Je ne sais pas ce qui m'a pris de

te quitter pour ce petit con. Je n'ai pas cessé de te regretter » –, et se les remettre sous le coude en attendant des jours meilleurs. Remarquez, dans le cas de Tess, ça n'a pas duré longtemps.

Deux mois plus tard :

— Allô, Maminette ? T'as un moment ? Non, parce qu'il faut que je te raconte, j'ai rencontré quelqu'un.

— Tu m'étonnes ! Et il est comment ?

— Amoureux. Mais à un point, tu ne peux pas savoir ! Je n'ai jamais rien vu de pareil. Il ne sait pas quoi inventer pour me faire plaisir. Avec lui, j'ai l'impression de revivre.

— Non, mais je veux dire, il est comment physiquement ?

— Pas mal.

— Pas mieux que ça ?

— Si, si, plutôt bien... Très bien même.

— Quel âge ?

— Soixante ans. Oui, je sais, il est beaucoup plus vieux que moi, mais bon, j'aime assez. Ça me change. Et comme il a choisi de prendre sa préretraite il y a déjà cinq-six ans –

il était à la direction du Crédit Lyonnais –, ça me calme.

— Comment ça ?

— Ben oui, moi qui suis branchée carrière au point de m'en rendre malade, je m'aperçois qu'il peut y avoir une vie, sorti de l'entreprise.

— Une vie à t'occuper de lui ?

— Alors, là, tu n'y es pas, Maminette ! Il est toujours en voyage. Il préside trois ou quatre associations. Il fait du squash, du ski et du bateau ! Là, il est en train de passer son brevet de pilote. Enfin, il n'arrête pas.

— Ça m'a l'air assez génial, dis donc, tout ça. Ah, mais tu ne m'as pas dit... Sa situation de famille, c'est quoi ?

— Veuf sans enfants. Sa femme est morte d'un cancer et il ne s'est jamais remarié.

— De mieux en mieux. Quand est-ce que tu nous l'amènes ?

— Je ne sais pas... Un de ces jours... Rien ne presse.

— Pourquoi ? Il n'est pas présentable ?

— Bien sûr que si, voyons, Maminette. Tu me connais, je ne suis pas du genre à sortir avec n'importe qui. Mais je voudrais être sûre de ne pas me tromper avant de...

— Qu'est-ce qui te prend ? En voilà des scrupules ! Ce ne serait pas la première fois que l'une ou l'autre d'entre vous se pointe toute fière, toute réjouie au bras d'un monsieur avec une grosse marque sur le front

« Mauvaise affaire, attention ! » qu'elle est la seule à ne pas voir.

— Moi, à part Boris, et encore, je ne me suis pas tellement plantée, si ?

— Alors, à plus forte raison ! Tu sais ce que tu devrais faire ? Venir avec lui à la garden-party d'Annie et de Guy le 18 mai. Il y aura beaucoup de va-et-vient et ce sera moins stressant qu'un examen de passage à une table pour cinq dans un petit restaurant.

— Ouais, pourquoi pas ? Dis donc, à propos d'Annie, comment tu la trouves ? T'as pas l'impression qu'elle se laisse un peu aller question poids, racines, tout ça ? Même sa façon de s'habiller...

— Ça te ferait bien plaisir, hein, espèce de petite garce ! Miroir, joli miroir, dis-moi que je suis la plus belle...

— N'importe quoi ! Nouch, je l'aime comme ma sœur, je me fais du souci pour elle, c'est tout.

— Mon œil ! Mais bon, pas la peine. Elle est tellement prise par son homme, ses gosses et ses clientes qu'elle n'a pas trouvé le temps d'aller chez Dessange pour sa couleur. Et puis là, on lui a recommandé un très bon coiffeur à Saint-Maur, et elle a rendez-vous samedi matin. Quant à son régime, désolée, elle le suit d'autant plus facilement que Guy s'y est mis, lui aussi.

— Arrête avec ça, Maminette ! Arrête de me faire passer pour une reine de beauté déchue de son titre et jalouse de sa rivale. Remarque, c'est un peu vrai sur les bords... Mais complètement faux dans le fond. Ça ne veut rien dire, tu le sais bien.

— Mais oui, ma puce, je le sais d'autant mieux que ça m'arrive aussi, que ça m'arrive encore, à mon âge, vis-à-vis de ma plus vieille amie, probablement la personne qui compte le plus dans ma vie.

— Plus que nous ? Ça, je te l'interdis !

Elle ne sait plus où elle en est, là, Carole.
Il lui arrive un de ces trucs... Insensé ! Alain,
un grand garçon très réservé – souvenez-vous
de leur première nuit d'amour ! –, très secret,
très distant, Alain n'est plus Alain ! Attendez
que je vous raconte. Il a repris la vie à deux,
bientôt à trois avec le bébé, sans trop de difficulté. Pas question, bien entendu, de se ridiculiser en encourageant sa femme à haleter
façon petit chien aux cours d'accouchement
sans douleur. Encore moins d'assister à la
naissance du gamin : « Berk, quelle horreur ! » Et ma crevette s'était bien gardée
d'insister. Il ne fallait pas trop lui en demander quand même.

C'est arrivé dans la chambre de Carole à
son retour de la salle de travail. L'infirmière
est entrée et lui a présenté un petit Thomas
plutôt mignon pour un nouveau-né, pas trop
rouge, pas trop plissé : « Regardez-moi ça ! Il

est pas beau, votre fils ? » Il s'est penché en tendant un doigt hésitant vers le bébé qui s'en est emparé d'un geste machinal, inconscient. Et la vie d'Alain a basculé. Emu, bouleversé, il est tombé raide dingue de cette ébauche, de ce prolongement de lui-même. Comment imaginer que neuf mois plus tôt il avait déguerpi, terrorisé, à la seule idée d'une paternité qui l'enchante à présent, qui le plonge, chaque fois qu'il prend son fils dans ses bras, dans un abîme de tendresse émerveillée.

Au grand soulagement d'une Carole ravie, enchantée. Elle a commencé par trouver ça génial : « Tu te rends compte de la chance que j'ai, Maminette ? Tout juste si, la nuit, il ne m'arrache pas le biberon des mains ! » Ce bébé tant désiré, elle s'en est gorgée jusqu'à plus soif pendant son congé de maternité, si bien qu'elle le lui prêtait très volontiers après les heures de bureau et pendant les week-ends : « Tu rentres tôt, dis donc, Alain ! C'est bien, tu vas pouvoir lui donner son bain. » Et puis sur la fin, déjà paniquée à la pensée d'abandonner son gamin à une nounou pour repartir bosser, elle appréciait nettement moins de l'entendre dire : « Tu crois pas qu'il faut le changer ? Laisse, je m'en occupe... Va plutôt ranger la cuisine et préparer le dîner. »

Jusque-là, rien de bien sérieux. C'est quand elle a repris son travail que les choses se sont gâtées. Ils rentraient l'un et l'autre à toute allure, lui du Marais, elle de l'Opéra, lui en scooter, elle en métro, dans l'espoir d'être le premier à mettre la main sur Thomas. Après qu'il eut remercié Jasmina en s'enquérant de la façon dont le petit avait passé la journée. Ce que Carole savait déjà pour l'avoir appelée toutes les deux heures. Ça lui donnait une bonne longueur d'avance ! S'il avait osé, Alain en aurait bien fait autant, et plus souvent qu'à son tour, mais un reste de respect des convenances quant au partage traditionnel des rôles le lui interdisait encore. Il avait peur de se ridiculiser vis-à-vis des collègues. Et même de la nounou.

Là-dessus, coup de téléphone de la crevette. Elle s'est arrangée pour prendre son après-midi le lendemain, et elle me propose de passer chez elle pour voir le bébé. Une beauté, ce bébé. Rose et blond un peu potelé, un angelot descendu d'une toile de la Renaissance. Sa maman, elle, m'a l'air un peu égarée. Elle flotte dans son jean. Elle a le cheveu triste et les lunettes de traviole, branche cassée, mal rafistolée avec du scotch. Elle va coucher Thomas, c'est l'heure de sa sieste, et revient s'asseoir sur le canapé à côté de moi, mains entre les cuisses, tête penchée sur la poitrine, regard vide.

— Qu'est-ce qui ne va pas, ma petite fille ? C'est pas le baby blues au moins ? Non ? Alors, c'est quoi ?

— C'est Alain.

— Qu'est-ce qu'il a encore fait ?

— Il en fait trop avec le bébé. Et pas assez avec moi. Il n'y en a plus que pour Thomas et...

— Si je comprends bien, tu te retrouves dans la situation du mari qui se sent exclu de la relation passionnée entre la mère et l'enfant.

— Oui, c'est un peu ça, sauf que moi, je m'en aperçois là, maintenant, pour Alain, j'ai jamais vraiment été là. Thomas, il le mange des yeux, il l'embrasse partout, il...

— Normal, écoute, j'en ferais bien autant, moi, il est absolument craquant, cet enfant.

— Oui, je sais, mais ça va plus loin. Je voudrais que tu l'entendes le soir, à l'heure des câlins, il n'arrête pas de lui dire des mots doux, que moi...

— Tu n'y avais pas droit parce qu'il ne les connaissait pas encore. Il est en train de les apprendre, là, et dès qu'il saura parler couramment d'amour, tu en profiteras à ton tour, j'en suis sûre.

— A condition de le faire !...

— Tu n'es pas tellement branchée sexe en ce moment, c'est ça ? C'est courant, une chute de la libido chez les femmes après la naissance d'un enfant.

— Non, vous n'avez pas compris. Moi, j'en ai de nouveau très envie, mais pas lui. Il ne me touche plus.

— C'est bien ce que je te dis. Tout à leur passion, elles sont tellement obnubilées par le bébé qu'elles en négligent...

— Sauf que c'est pas d'une nana qui fait une fixette sur son nourrisson qu'il s'agit, en l'occurrence, c'est d'un mec.

— Ah oui, c'est vrai ! Ben justement, ça ne durera pas, t'inquiète. On n'a encore jamais vu un homme normalement constitué renoncer à toute vie sexuelle sous prétexte de paternité. Patiente un peu. Il te reviendra sûr et certain.

— En attendant, moi qui ne rêvais que de ça, un mari, des enfants, à peine je les ai eus que je ne les ai plus. Alain m'a piqué Thomas et Thomas m'a privée d'Alain.

— N'importe quoi ! Tu as la chance d'être tombée sur un père-mère. Une chance rare, il y en a beaucoup moins qu'on ne le croit, même chez les jeunes. Et au lieu de t'en féliciter, tu t'en plains. Comment peux-tu être jalouse de leurs rapports ?

— C'est pas moi, c'est lui.

— Attends, là, je ne te suis plus.

— C'est lui, c'est Alain, il en est arrivé au point de vouloir que le petit le préfère à moi.

— Il te l'a dit ?

— Oui, et pas qu'à moi. Samedi on est allés déjeuner à Saint-Maur, et il s'en est vanté auprès d'Annie. Des trucs du genre : « Quand c'est sa mère qui va le coucher c'est moi qu'il réclame. » A quoi elle lui a fait remarquer qu'il pouvait s'agir d'un caprice. Les enfants n'arrêtent pas de demander un verre d'eau, une histoire, ou leur mère si c'est le père qui essaye d'obtenir qu'ils s'endorment. Et inversement. Ça l'a drôlement vexé, je vais te dire !

— Là, il pousse le sentiment de rivalité un peu loin, j'en conviens, et ça n'est pas sain.

— Ça me mine, Maminette. Il m'en veut et il ne veut pas de moi. Il m'ignore. Je ne l'intéresse plus. Pas plus et même beaucoup moins que son premier rasoir.

— Sur ce chapitre-là, le chapitre de la bête à deux dos, pas de problème. Il y a un moyen très simple de lui redonner l'envie d'y jouer : laisse-le tomber.

— Comment ça ?

— Il faut lui donner l'impression que tu t'éloignes. De lui et du petit. Puisqu'il s'en occupe aussi bien, libre à toi de décrocher, de prendre du champ, de sortir le soir plus souvent qu'à ton tour. Et même de découcher. Tu arrêtes de lui faire des reproches et de lui disputer le bébé. Tu arrêtes pile, attention, du jour au lendemain. Tu es gaie, contente, tu respires la joie de vivre. Et tu dégages.

— Pour aller où ? Avec qui ?

— Chez Anouchka ou chez moi. Avec Tess, avec qui tu voudras, du moment qu'il ne le sait pas. Ça ne tardera pas à l'intriguer, à l'agacer, à l'inquiéter. Il va finir par se demander si tu n'as pas quelqu'un ; et par s'emmerder à jouer à la poupée tout seul dans son coin.

— Attendez, je ne vais quand même pas me priver de mon bout de chou en allant traîner au cinéma pour permettre à Monsieur de pouponner tout son saoul !

— Voyons, chérie, c'est une affaire de quelques jours, fais-moi confiance.

Quinze jours plus tard, avec la complicité enthousiaste des filles, tout était rentré dans l'ordre. Question chambre à coucher, s'entend. Question chambre d'enfant, rien n'avait changé, mais, bon, il fallait parer au plus pressé. On a toutes joué le jeu à la perfection, le jeu du furet du bois joli, sous les yeux amusés d'une crevette planquée chez l'une ou chez l'autre d'entre nous. Alain appelait Tess qui n'avait pas vu sa sœur depuis une éternité : « Qu'est-ce qu'elle devient ? » Annette appelait Alain : « Comment ça, Caro n'est pas là ? C'est invraisemblable, on devait aller voir le Woody Allen ce soir. » Et, cerise sur le gâteau, je l'appelais à mon tour pour le prévenir : « J'ai organisé un petit cocktail entre amis... Après quoi, Carole est allée dîner avec un copain, et elle m'a chargée de vous dire qu'elle rentrerait tard... Pourquoi "son" copain ? J'en sais rien, moi. Remarquez, peut-être. »

Ça aurait pu ne pas marcher bien sûr, mais là, coup de bol, ça a parfaitement fonctionné.

Pour Alain, Carole allait de soi. C'était sa chose, un bien dont il pouvait disposer comme bon lui semblait. Elle ne lui avait jamais rien refusé, pas même de le laisser reprendre sa liberté, sans essayer de le relancer. Alors de la voir s'émanciper au point de mener sa propre vie, il n'a pas supporté.

Réclamations. Explications. Réconciliation. Sur l'oreiller. Plaisirs et tendresse partagés ce coup-ci. Soulagé, enchanté d'avoir récupéré sa petite crevette partie se cacher sous un rocher, Alain a senti monter en lui les mots pour le lui dire. Ce qui allait permettre à une Carole enfin comblée de se réconcilier un peu, pas tout à fait, loin s'en faut, avec son sort de maman coquelet, encore et toujours battue sur le poteau de la table à langer par cet insatiable papa poule dopé aux hormones de sa virilité retrouvée et de sa féminité révélée.

Il n'y en a pas encore beaucoup, c'est vrai, mais il y en a de plus en plus, de ces nouveaux pères qui laissent affleurer sans fausse honte leur part de féminité pour profiter pleinement des joies de la « patermaternité ». Dans ces cas-là, quand les parents s'entendent bien et qu'ils participent l'un et l'autre aux frais du ménage, le partage se fait tout naturellement. Le partage des tâches domestiques s'entend ! Ils langent, cuisinent, donnent les bains, rangent, passent l'aspirateur, se chargent de la vaisselle, du linge, des courses ou des biberons comme ça, comme ça vient, c'est selon, sans problème.

Question de goût et d'efficacité. Si l'un adore faire la bouffe et l'autre le repassage, grand bien leur fasse ! Etant bien entendu que l'un et l'autre n'aiment rien tant que de s'occuper des enfants. Question de confiance et d'amour. Heureuse pour lui, elle va le laisser tisser de son côté ces liens privilégiés, noués dès la première tétée entre la femelle de race humaine et son petit.

Pas forcément, oui, je sais. Culturel – n'est-ce pas Elisabeth Badinter ? – ou naturel, l'instinct maternel ne joue pas à tous les coups. Voyez Tess. Conséquence de la libération des femmes, elles sont de plus en plus nombreuses à déclarer sans fausse honte en être totalement dépourvues. Aux Etats-Unis, les couples sans enfants, surnommés DINKS (Double Income No Kids), sont d'ailleurs très courtisés par les annonceurs.

Jusqu'à tout récemment on ne se préoccupait donc que de ça, du partage des tâches. Le partage des rôles, lui, passait pour une notion totalement dépassée. On se réjouissait de voir la mère au travail et le père au foyer. Il n'y en avait plus que pour les droits de l'enfant, ceux des parents passaient par pro-

129

fits et pertes, et les fessées étaient dénoncées comme la pire des barbaries.

Et voilà que, depuis quelque temps, l'insécurité, la montée de la délinquance juvénile, la responsabilité des familles aidant, il s'est trouvé des psys pour regretter le mélange des genres et le fait que l'autorité paternelle ait dû céder le pas à l'autorité parentale.

Un dimanche à Saint-Maur – on s'y retrouve souvent à déjeuner ou en fin d'après-midi –, je ne sais plus à quel propos – ah, si, Alain s'était complètement approprié le bébé et Carole l'accusait en riant de rapt d'enfant – on s'est mis à parler de ça, de l'irrésistible évolution des mœurs et des idées. Là-dessus, Guy :

— En Occident, oui. C'est tout le drame des banlieues difficiles.

— Comment ça ?

— L'autre jour, à l'hôpital, je vois en passant devant une salle d'attente un père d'origine maghrébine qui envoie une énorme baffe à son gamin, un garçon de dix-douze ans, sous les yeux d'une infirmière horrifiée. Tout juste si elle n'appelait pas au secours. J'aurais voulu que vous voyiez l'air à la fois stupéfait et indigné du père quand je me suis interposé : « Vous ne devez pas le frapper, monsieur, ça ne se fait plus. » Alors, l'autre : « Il me réclame des baskets à neuf cents balles, je refuse, j'ai pas les moyens, il me traite de pauvre type et je n'aurais pas le droit de... Comment je vais lui apprendre le respect, alors ? »

Du coup, Carole :

— Bonne question, non, Maminette ? C'est ce que je me tue à expliquer à Alain. Les nouveaux pères, c'est bien joli, mais quand l'enfant grandit, pour peu qu'il soit agressif et bagarreur, difficile quoi, un père à l'ancienne, ça n'est pas plus mal.

— Alors, là, mille fois d'accord, ma crevette ! Mes enfants en ont eu un, un père à la musulmane, en fait, sévère, exigeant – de mon temps on en trouvait encore –, et ils s'en félicitent aujourd'hui. Ce qui ne les empêche d'ailleurs pas de materner leurs gosses pareil qu'Alain.

— Ben voilà, Carole ! Si tu veux éviter que Thomas vire voyou plus tard, rien ne t'interdit de jouer les mères fouettardes.

— C'est pas dans ma nature, voyons, mon chéri ! Une maman...

— Ni dans la mienne, là, maintenant. On nous a tannés pendant des années pour qu'on conjugue le masculin au féminin à la maison, façon nana, en vous laissant faire le contraire au bureau, façon mec. Faute de quoi on était traités de machos. On a pris grand soin d'effacer des manuels scolaires tout ce qui pouvait ressembler à « papa bricole et maman coud ». Et puis, là, brusquement, virage sur l'aile. Désolés, messieurs, on s'est trompé. Prière de faire machine arrière toute. Il y va de l'équilibre de vos enfants. Trop tard, je regrette. Fallait y penser avant.

Il est génial, le nouveau mec de Tess. Jean-Pierre, il s'appelle. Pas très grand, pas très beau, pas follement sexy, mais bon, irrésistible de charme, de vitalité, d'aisance et de drôlerie. De mes trois « gendres », c'est celui avec lequel je m'entends le mieux. Au point de l'inviter assez souvent à prendre un verre chez moi, seul sans sa femme... Oui, bon, je sais, pas sa femme, son amie. D'ailleurs ils continuent à faire appartement à part et s'en trouvent très bien. Il nous sert à boire – « Laissez, Maminette, je m'en occupe » –, s'installe à sa place habituelle, jambes allongées, bras en croix sur le dos du canapé, et c'est parti :

— Vous avez vu Tess ces jours-ci ?

— Non, pas depuis deux-trois semaines. Pourquoi ?

— Parce qu'elle est devenue infernale. Elle est repartie dans son trip boulot-promo-dirlo. Et elle me repasse le CD en boucle : « Je suis foutue, trop moche, trop vieille pour »... A propos, vous savez, vous, quel âge elle peut bien avoir ? Elle préférerait crever plutôt que de me le dire.

— Moi, pareil. Et je n'ai jamais osé le demander à sa sœur. J'aurais l'impression de la trahir.

— Là, je commence à me poser des questions, Maminette. Pour paniquer à ce point, ça doit tourner autour de la cinquantaine. Plutôt du mauvais côté que du bon. Et ça, dans une entreprise, à moins d'en être le patron, c'est vrai que ça ne pardonne pas. Son meilleur allié à la direction s'est fait ravaler la façade, et il ne doit pas être le seul, croyez-moi, dans l'espoir de...

— Espoir déçu, oui, je sais, ils l'ont viré. N'empêche, Tess pourrait quand même essayer elle aussi, non ?

— Bof, elle l'a déjà fait discrètement, par petits bouts, les paupières, le front, le cou. Elle est superbe et je ne vois pas en quoi...

— Ça lui redonnerait confiance en elle. Ce qui m'étonne, c'est qu'à votre contact elle n'ait pas pris ses distances vis-à-vis de sa boîte. Elle vous a choisi pour ça, en partie, elle me l'a dit.

— Ouais, ben c'est raté. Chaque fois que je lui propose un petit voyage ou une virée à New York, si ça ne tombe pas à Noël, à Pâques ou pendant ses vacances, elle me regarde, effarée : « Tu n'y penses pas ! J'ai bien trop de travail. » Sous-entendu : « Ducorniaud en profiterait pour me piquer mes dossiers. »

— C'est trop injuste, avouez, JP ! On a de l'ambition, on bosse comme une malade, on sacrifie tout à sa carrière, et à peine a-t-on réussi qu'on vous pousse vers la sortie !

— Eh oui, ma bonne dame, c'est la vie ! Et tant qu'elle ne s'y sera pas résignée, elle et moi c'est chacun pour soi. Si j'ai choisi de me mettre en préretraite, c'est pour en profiter. Pas pour rester planté là à la regarder se ronger les sangs inutilement.

— Remarquez, pour Tess, c'est pas plus mal. Rien que de vous savoir en train de vous balader le long de la muraille de Chine, elle va regretter à mort de ne pas vous avoir accompagné. Pour être sûr que ça marche faudrait en plus qu'elle vous imagine la main dans la main d'une ravissante Suédoise avec des jambes jusqu'aux épaules. Surtout n'essayez jamais de la rassurer.

— Alors là, vous me connaissez mal. J'aime trop l'aventure pour...

— L'aventure ou les aventures ?

— Les deux. Etant bien entendu que je renoncerais volontiers aux secondes si Tess acceptait de partager vraiment mon existence. En attendant, si je vous emmenais dîner ? Ce soir, elle a une réunion de travail qui doit se terminer tard.

— Je regrette, mais ce n'est pas en sortant avec moi que vous allez provoquer sa jalousie. Une jalousie à tout casser. Y compris son plan de carrière !

— D'abord on n'est pas obligés de lui dire que c'est vous. Ensuite vous me plaisez beaucoup. Si, si, je vous assure. Je vous trouve adorable, avec beaucoup d'allure, et je serais vraiment très fier d'être vu avec vous.

— *Flattery will get you nowhere*. Pas la peine de me flatter, ça ne vous mènera nulle part... Sauf peut-être chez l'Ami Louis.

— Chiche !

— Comment ça, la pilule ? Lola t'a demandé de lui donner la pilule ! Tu plaisantes ou quoi, Anouchka ?

— Hélas, non ! Elle est tombée raide dingue de Jérémie, le meilleur ami d'Antoine, figure-toi. C'est le grand amour. Ils ne se quittent plus.

— Attends, la tête me tourne, là ! Il y a à peine trois mois, Antoine, elle ne lui adressait pas la parole, et tu me dis aujourd'hui...

— Avec Antoine, plus de problème, ils sont devenus copains comme cochons. Grâce à toi d'ailleurs, Maminette. Mais j'avoue que, quand elle m'a annoncé, sur le ton d'un faire-part de mariage, qu'elle sortait avec ce garçon, j'ai d'abord cru qu'elle me cherchait. Et puis, dès que je les ai vus ensemble... Pas de doute possible, ils ne peuvent pas se détacher l'un de l'autre plus de trente secondes.

— Et telle que je te connais, tu t'es précipitée à la pharmacie la plus proche en brandissant ton ordonnance.

— Pas du tout ! J'ai commencé par essayer de la raisonner : « Tu ne crois pas qu'à seize ans, les galipettes au lit, ça peut attendre un peu ? » Elle l'a très mal pris : « Je t'en prie, maman, ne te fais pas encore plus conne que tu n'es ! Tu veux quoi au juste ? Que je passe mon bac ou que je fasse un bébé ? » Et j'ai fini par céder, bien obligée.

— Remarque, comme ça, la pilule, elle l'aura. Ça lui servira pour les suivants.

— Surtout ne lui dis jamais ça ! Elle te boufferait. C'est Lui, rien que Lui. Pour la vie.

— Attends ! Ça sent à plein nez la gamine en révolte contre sa mère, voyons.

— Non, justement ! Sa crise d'adolescence, ce garçon va l'en sortir, et plus vite que tu ne crois. Elle est déjà nettement moins agressive parce que moins branchée sur moi, forcément. Sur ce coup-là, merci Jérémie ! D'autant qu'il tique chaque fois qu'il l'entend nous parler mal et qu'il ne se gêne pas pour lui en faire la remarque.

— Toutes mes félicitations, alors ! Et ils font ça où ? Chez ses parents ? Chez vous ?

— C'est selon. Enfin, Maminette, ne viens pas me dire que ça te choque ! On ne voit plus que ça, des couples d'ados-tourtereaux qui se jurent amour et fidélité à jamais. Et qui durent souvent très longtemps, plus longtemps que bien des liaisons entre adultes.

Oui, bon, je sais. Reste que l'ampleur et la relative rapidité de ce mouvement de balancier me sidèrent. Quand je pense aux revendications féministes des années 60-70 ! Nous, on exigeait de pouvoir multiplier les expériences de façon à être sûres de faire le bon choix le jour où on déciderait de se mettre en ménage. Un ménage à l'essai. L'union libre, quoi ! Tout plutôt que de s'engager, compte tenu de l'espérance de vie, à cohabiter pendant un bon demi-siècle avec le même mec. Et à peine est-ce entré dans les mœurs au point de passer pour la règle que déjà nos petites-filles exigent de faire rimer amour avec toujours. Le premier amour, qui plus est !

Vous me direz : normal, devant les divorces à la chaîne demandés par leurs parents, le sida et le reste, on comprend qu'en réaction elles veuillent revenir au mode de vie à l'ancienne. Leurs petits copains pareil. Ils rêvent de stabilité, de continuité, de permanence même.

D'accord ! Sauf que sur la durée ça reste du domaine du rêve précisément. Un rêve d'ailleurs très éloigné de la réalité telle que l'ont vécue leurs grands-mères, condamnées à accepter les « cinq à sept » de leurs maris faute de pouvoir les quitter. Même celles qui leur avaient amené une dot, je parle des milieux les plus favorisés, dépendaient entièrement de la bonne volonté de leur seigneur et maître pour ouvrir un compte en banque, acheter un bien immobilier, exercer une quelconque activité. Et c'est pas tellement vieux, ce que je vous raconte là. Moi, j'ai connu ça dans ma jeunesse.

Ce qui ne nous empêchait pas de tromper nos maris. C'était souvent le cas forcément. Question d'arithmétique. Avec qui les époux de ces dames auraient-ils pu goûter aux plaisirs, voire aux amours adultères, sinon, trois fois sur quatre, avec les épouses de ces messieurs ?

Ce à quoi nous, les nanas, n'avions évidemment pas droit, c'est au double foyer avec ou sans enfants des deux côtés, situation très répandue autrefois, encore relativement fréquente aujourd'hui chez les vieux mâles blancs polygames de nature sinon de culture. Si leurs épouses et leurs maîtresses le supportent tant bien que mal, c'est faute de moyens : ressources financières, manque de courage, absence de caractère... A moins qu'elles n'y trouvent leur compte : mieux vaut être à deux sur une bonne affaire que seule sur une mauvaise !

Mais, bon, il s'agit là d'une espèce en voie

de disparition, et personne ne s'en plaindra. Tant il est vrai, pour en revenir à Lola, que le besoin de se conformer à un modèle dont le moule s'est brisé et le désir de faire machine arrière ne tiennent pas la route. Qu'on s'en plaigne ou qu'on s'en félicite, la marche accélérée de l'histoire des civilisations nous propulse vers un avenir probablement ni pire ni meilleur qu'un passé définitivement – moi, j'ajouterais heureusement – dépassé.

— Tess ! Mais qu'est-ce qui est arrivé ? Tu as l'air toute retournée !

— Un truc pas croyable, une vraie cata ! Fallait que je te voie. Je ne pouvais pas t'annoncer ça au téléphone.

— Attends, ma chérie, assieds-toi là, bois un coup et calme-toi... Alors, qu'est-ce qui se passe ?

— JP me trompe, voilà ce qui se passe ! Je ne peux pas te dire dans quel état je suis, ça ne m'était encore jamais arrivé de ma vie.

— Tu en es sûre ?

— Il me l'a dit.

— Alors, là, je ne te crois pas. C'est pas des choses qu'on va raconter à sa femme. Ça ne se fait pas !

— Oui, ben lui, il l'a fait, figure-toi !

139

L'autre soir j'avais une réunion qui devait se terminer tard, elle est annulée à la dernière minute. J'appelle chez lui, personne. J'essaye de le joindre sur son portable. Eteint. Je laisse un message, il ne rappelle pas.

— Normal, écoute. Sachant que tu étais prise, il en a profité pour sortir avec un copain.

— Sauf que c'était une copine, sa copine, si tu veux savoir. Il l'a emmenée dîner chez l'Ami Louis et...

— Chez l'Ami Louis ? Sa copine ?

— Oui, parfaitement, un canon ! Elle mesure 1,78 mètre, elle a des jambes qui n'en finissent pas et des cheveux...

— Blond suédois qui ruissellent en cascade sur ses épaules.

— Comment tu le sais ?

— Parce que sa petite amie c'est moi !

— Ah non ! Je t'en prie, Maminette, épargne-moi ce genre de plaisanterie.

— Mais je ne plaisante pas. Je lui plais, il me trouve absolument exquise et on est allés dîner en prélude à... Ne fais pas cette tête-là, voyons, ma mine, je te taquine.

— Oui, ben c'est pas le moment ! Quel salaud, ce type ! Me faire un coup pareil, le jour où j'allais lui annoncer que...

— Que quoi ?

— Rien. Oublie !

— Enfin, tu peux me le dire à moi, voyons, Tess.

— A la copine de mon mec ? Manquerait plus que ça !

— Tu vois, ça va déjà mieux, tu souris. N'empêche, c'est la vérité. Il est venu boire un verre ici et après on est allés dîner, voilà tout.

— Alors, pourquoi il me l'a jouée faut-que-je-te-dise-je-t'aime-bien-mais-je-t'aime-plus ?

— Parce que c'est un con. Adorable, attention, mais incapable de suivre mes conseils sans...

— Oui, ben, tes conseils, Maminette, tu peux te les mettre où je pense. Non, c'est vrai, ils sont nuls. Juste bons à nous foutre dans la merde !

— Ah ! Je t'en prie, Tess, ne me parle pas sur ce ton ! Non mais, pour qui tu te prends ? Pour la championne olympique de la réussite qui n'a besoin de personne pour dominer le reste des mortels du haut de son podium, c'est ça ?

— C'est tout le contraire, voyons, je n'arrête pas de douter de moi, de paniquer, de... Enfin, tu le sais bien !

— Ce que je sais c'est que plus jamais, au grand jamais, je ne me mêlerai de vos histoires, à toi et à Jean-Pierre. On n'a parlé que de toi, de vous, de vos problèmes pendant toute la soirée, si tu veux savoir. J'ai cru bien faire en essayant de l'aider à démêler la situation. Et qu'est-ce que ça me vaut ? Un petit merci ? Penses-tu ! Une belle jappée. Je suis trop bête aussi !

— Allez, sois pas fâchée, chérie, je te demande pardon, mais j'étais hors de moi. Mets-toi à ma place ! Alors, qu'est-ce qu'il me reproche ?

— Tu n'as qu'à le lui demander.

— Je t'en supplie, Maminette, fais pas ta mauvaise tête, dis-le-moi.

— Tu veux vraiment le savoir ? Ton âge.

— Ça, c'est pas mal ! Monsieur a six ans de plus que moi et...

— Eh ben, voilà, ça t'en fait donc cinquante-quatre. Sans le vouloir tu viens de lever le secret-défense le mieux gardé du siècle, dis donc ! Mais c'est bien ce qu'il pensait, et d'après lui, c'est trop vieux, oui, pour figurer encore longtemps dans l'organigramme d'une grosse boîte. Surtout au service de la communication. Avec toutes ces petites nanas de 25-30 ans qui se bousculent en piaffant d'impatience : « Allez, dégage ! Pousse-toi de là, que je prenne enfin ta place. »

— Oui, bon, et après ? C'est pas son problème.

— Si, voyons ! C'est le tien, donc le sien par ricochet. Un drôle de problème, d'ailleurs ! Pas facile à résoudre. Toi, tu as tout misé sur l'avant-retraite, lui sur l'après. Alors, comme tu ne peux pas le remettre au boulot, faudrait peut-être que tu songes à prendre un peu de recul par rapport au tien.

— C'est un conseil ?

— Je m'en garderais bien ! C'est un avis.

Je suis crevée, moi, aujourd'hui. Morte de fatigue. Une fatigue mortelle, si vous voyez ce que je veux dire. Je ne sais pas comment je vais arriver à me traîner jusqu'à Saint-Maur. C'est dimanche et on doit tous se retrouver chez Anouchka et Guy. J'ai envie d'appeler Carole pour qu'elle passe me prendre en voiture avec Alain. J'ai envie, pas envie, en fait. Je déteste m'imposer, obliger mes proches à me rendre un service qu'ils ne pourront pas me refuser. Mais bon, tant pis, pour une fois.

Et je me retrouve une heure plus tard assise sur la banquette arrière avec le petit Thomas – il va sur ses dix mois – sanglé dans son siège bébé. A la place de la belle-mère. Et ça, moi, j'aime pas. Ça me vexe. J'ai l'impression d'être victime d'une certaine forme de discrimination, une laissée-pour-compte, en somme ! Les jeunes adultes devant, les vieux et les enfants derrière.

Ça me fait penser au dépit un rien amer d'une de mes amies qui avait fait cadeau de sa voiture, une belle bagnole presque neuve, à son grand fils, et qui s'est sentie vraiment

143

dépossédée quand, trois jours plus tard, il a pris tout naturellement le volant après avoir ouvert la portière arrière à sa mère et invité sa copine à trôner à ses côtés.

— Qu'est-ce qui se passe, Maminette, il y a quelque chose qui ne va pas ? Tu n'as pas ouvert la bouche depuis le départ.

— C'est à cause d'Alain. Il n'arrête pas de se retourner pour jeter un œil sur le bébé. Et comme j'ai une peur bleue d'aller droit à l'accident, je serre les dents, bien obligée.

— Alain, tu as entendu ce qu'elle a dit, Maminette ? Alors, tu oublies Thomas et tu regardes devant toi, OK ?

— Non, c'est vrai, pas besoin de vous inquiéter, j'ai très envie de le balancer par la fenêtre, votre chérubin, mais je me retiens.

— Là, je te suis, Maminette. Il est vraiment casse-couilles avec sa fixette sur le gamin. Si encore c'était l'enfant de la dernière chance, s'il était arrivé après des années d'espoirs déçus, de FIV, tout ça, je comprendrais. Mais là, franchement, vu les circonstances de sa naissance...

— Ah non ! Tu ne vas pas remettre ça, Carole. Ras le bol à la fin !

— T'as qu'à faire comme moi, Carole. Tu ne dis rien, mais tu n'en penses pas moins. Désolée, Alain, mais je vous vois mal partis, tous les deux. Vous vous êtes remis ensemble à cause de Thomas, mais au train où ça va, à force de vous le disputer, c'est encore à cause de lui que vous allez finir par vous séparer.

— Carole, je ne sais pas, mais, en ce qui me concerne, il n'en est pas question. D'autant qu'on croit avoir trouvé la solution. Pas vrai, chérie ?

— Et moi qui allais vous la donner !

— C'était quoi ?

— Faire un autre enfant en vitesse.

— Eh ben, on y a pensé tout seuls, figure-toi, ça y est, là, Maminette, il est en route.

— Espèce de petite cachottière ! Pourquoi tu ne nous en as rien dit ?

— Je voulais attendre le troisième mois, dans huit jours en fait, pour être vraiment sûre que tout allait bien, mais là, j'ai pas pu résister à l'envie de...

— De me moucher en me montrant que mes conseils, je pouvais les mettre dans ma poche avec un mouchoir par-dessus ? Décidément je n'ai plus la cote, moi, en ce moment. L'autre jour, Tess m'a envoyée péter elle aussi en me priant de ne plus me mêler de ce qui ne me regardait pas.

— Pas moi, voyons, Maminette ! Qu'est-ce que tu vas chercher ?

— Pas besoin de chercher bien loin.

— Oui, bon, il y avait un peu de ça, mais si peu. C'était juste pour te prouver que je suis une grande fille, maintenant, capable de prendre une décision sans consulter ma petite maman de remplacement.

— C'est adorable ce que tu viens de dire là, ma crevette ! Tu ne peux pas savoir le plaisir que tu me fais. Vous allez l'annoncer aux autres tout à l'heure ?

— Je ne sais pas. Qu'est-ce que tu en penses ?

— Ah non ! Ça ne va pas recommencer ! Les conseils, fini, ça, terminé.

— T'es pas fâchée au moins ?

— Mais non, penses-tu ! Je ne serai pas toujours là pour vous en donner. Et je suis très heureuse de voir qu'à présent vous pouvez vous en passer. Alors, tu leur dis ou pas ? Moi, à ta place...

— Voyons, Maminette !

Il faisait très beau ce jour-là, un jour d'automne, un jour d'été, l'été de la Saint-Martin, et quand on est arrivés à Saint-Maur, attablés à l'ombre du grand châtaignier, les garçons, Lola et son copain finissaient à peine leur petit déjeuner autour d'un magnum de champagne, jouant les farauds à l'abri de son bouchon doré. Devant mon air surpris – on fêtait quoi ou qui ? –, Guy, la mine entendue, réjouie :

— Top secret. C'est une décision d'Anouchka, elle vous l'annoncera tout à l'heure. En attendant, venez, je vais vous présenter à ma mère.

Je ne la connaissais pas, mais je l'ai trouvée très intéressante, madame de Villemoissan, tassée, toute menue, dans un fauteuil de jardin, avec un profil de médaille sous une couronne de cheveux blancs relevés en chignon. Et au fond de son regard noir, au bord de ses lèvres minces barrant un lacis de rides, un petit sourire assez mordant. Je lui ai demandé si elle était au courant de ce qui se tramait : « Certainement pas. Moi, on ne me dit jamais rien. Mais ne vous croyez pas obligée de rester là, chère madame. Vous savez quoi, vous devriez user de votre influence sur cette maison pour nous faire servir une petite coupe. Moi, les bulles, j'adore ça, pas vous ? »

— Eh ben, Jean-Pierre, qu'est-ce que t'attends pour t'occuper de ta fiancée ? Tu sais qu'il t'adore, JP, Maminette. Faut vraiment que je sois bonne pâte pour...

— Ne pas m'arracher les yeux dans un accès de fureur jalouse, c'est ça ? Tu es très en beauté, dis donc, Tess. Qu'est-ce qu'il t'arrive ?

— Ça veut dire quoi, ça ? Que je suis moche et mal foutue d'habitude ? Allez, te fâche pas, c'était pour rire. En fait, c'est vrai, l'agence m'a proposé de présider sa fondation, et je crois bien que je vais accepter.

Question salaire, prestige, tout ça, ce sera du pareil au même, et je serai beaucoup plus libre de mon temps rapport à mon mec. Tiens, où il est passé ? Ah, là, là, ma pauvre chérie, j'ai bien peur que tu n'aies une rivale. Regarde-le faire le joli cœur auprès de Madame Mère. Remarque, je le comprends, elle est très classe.

— Ça veut dire quoi, ça ? Que j'ai l'air d'une vieille poissarde vulgaire et mal fagotée ? Ah, te voilà, Nouch ! Commence par m'arracher aux griffes de cette garce et vas-y de ton petit discours, qu'on puisse enfin boire un coup.

— Attends, Maminette, tout le monde n'est pas là... Carole, tu viens ? Et Alain, il est où ?

— Devine ! En train de changer Thomas sur la table de la cuisine.

— Bon, ben, va le chercher, ma petite fille... Pas la peine, il arrive... Non, parce que c'est pas tout ça, mais vous avez quelque chose à leur annoncer, vous aussi.

Alors, Tess :

— T'inquiète, Maminette, avec Carole ce sera vite fait. C'est un secret de polichinelle.

— Comment tu le sais ?

— Voyons, sœurette, depuis le temps que tu nous bassines avec ça.

— Ça, quoi ?

— Ben, ton mariage. Un grand mariage. Un beau mariage. Un vrai mariage en blanc.

Et Nouch :

— Mais, c'est pas de leur mariage qu'il s'agit, Tess, c'est du nôtre. Maintenant, si Carole et Alain veulent se joindre à nous...

— Moi, ce serait bien volontiers, mais en attendant, c'est pas de ça qu'on voulait vous parler, c'est du bébé.

— Oui, bon, Carole, ça, pour Thomas, on est tous au courant, figure-toi.

— Pas Thomas, voyons, Nouch ! Morgane si c'est une fille, Adrien si c'est un garçon.

— Ça alors ? Et c'est pour quand ?

— Fin février.

— Ce serait peut-être le moment d'ouvrir cette bouteille de champagne, qu'est-ce que vous en dites, chère amie... Vous vous appelez comment au fait ? Pas Maminette quand même ? Claude ? Je préfère. Moi, c'est Geneviève.

— Regarde-les toutes les deux, Tess... Alors tu es contente, Maminette, tu t'es trouvé une petite copine de ton âge ?

— Ah non, Annie ! Combien de fois faudra-t-il te le répéter ? Mon âge, je ne supporte pas qu'on m'en parle sur ce ton.

— Quel ton ?

— Un ton d'une rare insolence... « Une petite copine » s'agissant de madame de Villemoissan ! Ta future belle-mère en plus ! Comment tu oses ? C'est inadmissible.

— Enfin, voyons chérie, tu ne vas pas nous

repasser ton CD sur le racisme antivieux pour ça ! Je taquinais, voilà tout.

— Ah, je t'en prie, c'est trop facile ! On se permet de sortir une remarque désagréable, on l'assortit d'un « Je plaisante ! », sous-entendu « T'as pas le sens de l'humour ou quoi », et on imagine que ça suffira à faire passer la pilule. Désolée, moi, elle me reste en travers de la gorge.

— Je te demande pardon, ma petite Maminette, je...

— Tu le fais exprès ou quoi ? Je viens de te dire qu'on ne dit pas « ma petite » à une dame de soixante-seize ans. C'est condescendant, limite insultant. Vous n'êtes pas d'accord, Geneviève ?

— Comme je n'en ai que soixante-quinze, je ne me sens pas concernée. Mais, bon, faut la comprendre, Annie, le grand âge ça rend susceptible. Moi j'y verrais plutôt une marque d'affection, mais il faut reconnaître que bien souvent les jeunes et les bientôt vieux ne peuvent pas s'empêcher de nous traiter de haut. Autant s'y résigner.

— Alors ça, non, jamais ! Ce n'est pas à mon âge que je vais renoncer à lutter contre l'âgisme.

— Arrête de nous bassiner avec ton âge, tu veux, Maminette ? T'es pas vieille, voyons ! Tu es restée jeune d'esprit. Et même de corps, tu te défends plutôt bien. Tu fais tout pour ça d'ailleurs. Et c'est tant mieux.

— T'es bien gentille, Tess, mais tu ne comprends pas. Si j'essaye de me maintenir en forme et d'être à peu près propre sur moi, ça ne veut pas dire que je cherche à me rajeunir. Mon âge, je le revendique haut et fort au contraire. Enfin, réfléchis, statistiquement parlant il ne me reste que six ans à vivre, alors, la vieillesse, j'y ai peut-être enfin droit, là, maintenant, non ?

— Bon, bon, puisque tu y tiens... Tu es vieille, très vieille, d'accord ! Mais comme on t'aime, on préfère l'ignorer. Tu peux le comprendre, ça, quand même.

— Elles ont raison, ma chère Claude. Si j'étais vous, je préférerais, et de loin, l'affection qu'on me porte au respect qu'on me doit.

— Je vous préviens, madame de Villemoissan, les conseils, Maminette nous en donne en veux-tu en voilà, mais je ne pense pas qu'elle soit prête à en recevoir.

— De toi, Carole, peut-être pas, en effet... Mais venant de Geneviève, une femme d'expérience et de bon sens, j'aurais mauvaise grâce à ne pas...

— Rassurez-vous, ma belle, contrairement à vous, je serais totalement incapable de tenir une rubrique « Courrier du cœur ». En revanche, j'ai très envie de vous demander comment on doit réagir lorsque votre fils unique n'éprouve pas le besoin d'annoncer son mariage à sa mère avant d'en faire part à ses amis.

— Vraiment ? Vous voulez mon avis ? Eh bien moi, à votre place, je ne m'en formaliserais pas, je m'en réjouirais, au contraire, je... C'est ça, foutez-vous de ma gueule, les filles ! Rira bien qui rira le dernier... Bon, alors, attendez que je vous explique, Geneviève...

Dis, est-ce que tu m'aimes ?
Claude Sarraute

Fabiane, la mère, une ex-mannequin, férue d'aérobic, ne fait pas son âge et plaît toujours aux hommes. La pire épreuve de sa vie a été la maternité. Tchacha, sa fille, mignonne et rondelette, élève seule son fils Nicolas et déprime un peu. Elle voudrait rentrer dans ses jeans, trouver un père pour son enfant et, surtout, que sa mère se préoccupe de ses problèmes.

Comment peut-elle vivre sereinement quand sa propre mère semble la détester ? Qu'a-t-elle fait pour mériter ça ? Mais il y a, malgré tout, beaucoup d'amour et de tendresse dans ce couple peu ordinaire.

(Pocket n° 11193)

C'est pas bientôt fini ?
Claude Sarraute

Ils s'aiment, Vincent et Muriel, et ils ont le même métier, le plus beau du monde : professeur. Ils enseignent tous les deux dans un collège de Montfermeil, une banlieue difficile. Quand on est jeune, on est plein d'espoirs et d'illusions. Mais petit à petit Muriel va « craquer » : ses élèves l'empêchent de faire cours ! Et Vincent qui la trompe avec l'assistante sociale ! Muriel s'en va, trouve un autre poste dans un lycée du XVIe arrondissement de Paris. Mais réussira-t-elle à reconquérir Vincent ?

(Pocket n° 10720)

Hommes, femmes, mode d'emploi

Des hommes en général et des femmes en paticulier
Claude Sarraute

Trente ans après « la grande libération », faisons le bilan. Côté femmes : c'est beaucoup mieux en ce qui concerne l'égalité dans le milieu professionnel, cependant elles sont débordées, paniquées à l'idée de ne pas être à la hauteur, et leur vie sentimentale laisse à désirer. Côté hommes : rien ne va plus car, menacés par l'influence grandissante des femmes, ils perdent quelque peu leurs repères. Avec humour et intelligence, Claude Sarraute nous éclaire sur les nouvelles règles de la cohabitation hommes-femmes.

(Pocket n° 10439)

Il y a toujours un Pocket à découvrir

Achevé d'imprimer sur les presses de

BUSSIÈRE

GROUPE CPI

à Saint-Amand-Montrond (Cher)
en octobre 2004

POCKET - 12, avenue d'Italie - 75627 Paris Cedex 13
Tél. : 01-44-16-05-00

— N° d'imp. : 44767. —
Dépôt légal : octobre 2004.

Imprimé en France